Meditación

Bill Anderton

MEDITACIÓN

EDITORIAL DE VECCHI

Traducción de Sonia Afuera Fernández.

© 1999 Bill Anderton.
Judy Piatkus (Publishers) Ltd.
5 Windmill Street, London W1P 1HF.

Para la edición española:

© Editorial De Vecchi, S. A. U. 2005
Balmes, 114. 08008 BARCELONA
Depósito Legal: B. 30.632-2005
ISBN: 84-315-3245-9

Índice

Introducción

L a meditación es una práctica que requiere poco tiempo y un esfuerzo mínimo y, sin embargo, aporta dos beneficios diferentes que, en conjunto, conforman una razón de peso para que se ejercite con efectos positivos sobre la persona.

En primer lugar, la meditación ofrece un alivio a las tensiones y proporciona la habilidad de relajarse. La capacidad de relajación y la práctica de la misma tienen un efecto directo en nuestro estado de salud, por lo que nuestro cuerpo sale beneficiado. La meditación, por lo tanto, resulta muy adecuada para aquellos que sufren las consecuencias del estrés, como la subida de la presión sanguínea, la falta de energía o la hiperactividad mental.

En segundo lugar, aunque la meditación tiene mucho que ver con la mejora del aspecto físico de la vida, de la faceta material, también cuenta con un factor complementario que implica la conciencia de una realidad espiritual en nuestras vidas. Desde este otro punto de vista, la meditación proporciona un medio para crear y mantener mejores relaciones con nuestro yo interior y con los demás.

No estoy de acuerdo con la idea de que hay algo especial en la meditación que hace que únicamente un maestro iluminado pueda transmitir los conocimientos necesarios para ejercitarla. Se trata de una práctica que cualquiera puede aprender de manera fácil, con sólo un mínimo esfuerzo.

Por otro lado, no me interesa la imagen de la meditación como disciplina aburrida, en la que lo único que hay que hacer es vaciar la mente el mayor tiempo posible, sentado en posiciones incómodas, cuando no complicadas. Este razonamiento se debe a que estoy convencido de que el enfoque tradicional de la meditación, el punto de vista oriental, no es apropiado para el estilo de vida occidental y para nuestra forma de mirar el mundo.

La técnica que yo he desarrollado es mucho más accesible y práctica, tanto desde el punto de vista espiritual como desde el físico. El objetivo es explorar los contenidos de la mente y hurgar en el inconsciente, y por descontado no es preciso tensar ningún músculo durante el proceso.

Mi propio interés por el tema se desarrolló en parte a causa de la necesidad que experimentaba de reconstruir la confianza en mí mismo. Esta fue la razón práctica que me llevó a iniciarme en la meditación.

Más tarde descubrí que se trataba de una forma de tomar conciencia de las dimensiones espirituales de la vida. De esta forma, la meditación se convirtió para mí en un medio de descubrir no sólo lo que era yo, sino lo que era la vida.

Toda la información que encontrará en este libro está aquí para que usted pueda vivir una experiencia directa, pero puede aceptarla o rechazarla si lo desea. Comienzo analizando la utilidad y la relevancia que tiene la meditación en nuestra propia práctica y lo que otras culturas y religiones dicen sobre el tema. A continuación, he incluido todo lo que usted necesita saber para practicar la meditación de manera segura y efectiva («Qué hacer y qué esperar»). Más adelante, le empujo a una exploración de lo que denomino «La dimensión "espiritual" de la meditación», lo que comporta la meditación en la maduración interior.

En conjunto, el libro muestra el papel de la meditación en el proceso de crecimiento y cambio de la persona. Dicho proceso implica experimentar no sólo una mejora física, en términos de control de las tensiones y de mejora de la calidad general de nuestras vidas, sino también una maduración y un cambio espirituales.

Los beneficios de la meditación

¿Qué puede aportarle la meditación?

L as razones por las cuales la gente se decide a practicar la meditación son muy variadas, pero la mayoría de ellas se reducen a dos objetivos principales: la mejora de uno mismo, inducida por un deseo de cambio, y una mejora física en términos de alivio de las tensiones.

Las técnicas de relajación de la meditación tienen un efecto directo e inmediato en el cuerpo, confiriendo unos beneficios físicos enormes debidos al control de la respiración y de los pensamientos, que afecta, a su vez, al ritmo cardíaco, la presión sanguínea e incluso la digestión.

Potenciar el factor «sentirse mejor»

Hay una parte de la meditación que se encuentra en relación directa con el cuerpo físico. Contrariamente a la creencia popular, más que alejarle de los problemas del mundo físico y de su cuerpo, la meditación puede ponerle en contacto con ellos. Por lo tanto, la meditación ofrece la oportunidad de formar mejores relaciones con ellos y potenciar el factor «sentirse mejor».

Se pueden obtener unos beneficios enormes de este aspecto de la meditación. No solamente es libre —no hay ningún tipo de prescripción— sino que tampoco tiene el más mínimo efecto secundario negativo. Por consiguiente, si usted tiene algún problema físico en concreto que cree que puede mitigar la práctica de la meditación, adelante.

Además, descubrirá que, para que las técnicas de meditación funcionen, no hay ningún compromiso místico o religioso al que deba suscribirse. Es libre de creer todo lo que desee del funcionamiento del universo y de su finalidad. Espero que descubra, como yo mismo descubrí, que no hay aciertos ni equivocaciones definidas en mi enfoque particular.

Encontrará muchos trucos y sugerencias basados en mi propia experiencia, pero, por supuesto, hay muchas otras maneras de actuar. Quiero subrayar desde un principio que la meditación es una experiencia puramente personal, porque *personal* equivale a «única». Lo que va bien a una persona no tiene por qué funcionar con otra; por ello, le animaría a intentar cosas nuevas y a descubrir lo que funciona para usted y lo que no le resulta muy efectivo. Todo lo que le pido es que me siga en las primeras etapas de la meditación hasta que se valga por usted mismo y entonces pueda ir en la dirección que usted mismo elija.

A diferencia del mundo exterior (el universo físico), el mundo interior (el reino de nuestro yo interior) no está sujeto a ninguna ley. Como mucho, hay experiencias internas que pueden ser comunes a todos nosotros. Por eso, para practicar con éxito la meditación no se necesita ninguna ley, norma o regla espiritual, ni hay que creer en algo diferente de nuestras creencias actuales.

La dimensión espiritual

En el mundo moderno, uno de los problemas principales del ser humano es que la dimensión espiritual casi ha desaparecido, y esta era la que nos enseñaba el valor de la vida, de nosotros mismos y del mundo en el que vivimos, y nos daba el sentido de la existencia.

A veces, los recién iniciados en la práctica de la meditación se sorprenden cuando se dan cuenta de que la dimensión espiritual de la vida emerge. Es la conciencia incrementada que aparece a través de la meditación la que abre esta posibilidad. La meditación puede ser una auténtica revelación de lo que falta en nuestras vidas y lo que necesitamos cumplir todos los seres humanos. Sin una dimensión espiritual, nuestras vidas no tienen sentido.

La dimensión excitante de la meditación será explorada más tarde, ya que abre un camino totalmente nuevo a la comprensión del significado de la palabra *espiritual*. Tenemos la oportunidad de definirla nosotros mismos antes que adoptar, sin cuestionarlas, las definiciones que nos ofrecen las religiones tradicionales.

Por supuesto, si este aspecto de la meditación no nos interesa, no pasa nada. No obstante, debemos ser conscientes de que tales cuestiones y planteamientos pueden ser relevantes en ciertos aspectos o en ciertos momentos de nuestra vida.

Tradiciones y mundo moderno

La forma de meditación que enseño tiene poco que ver con el enfoque tradicional que enseñan, por ejemplo, el budismo zen u otros enfoques orientales. Sin embargo, les debe mucho, por lo que iniciaremos una breve excursión hacia los reinos de la meditación en sus formas tradicionales, tanto para aprender como para extraer de ellas lo que necesitemos para nuestros propios propósitos.

Los maestros de la meditación zen, o zazen, dicen que la meditación no puede aprenderse sin un maestro zen y sin tener el compromiso firme de imponerse a uno mismo mucha disciplina. Sin embargo, para la mayoría de los occidentales este enfoque no funciona porque no tiene nada que ver con su estilo de vida y su manera de pensar.

Nuestra actitud mental no se adapta al mundo del mismo modo en que lo hacen las personas de culturas orientales. Nosotros estamos mucho más preocupados por las relaciones (entre la mente y el cuerpo, el mundo interior y el mundo exterior, etc.) que el enfoque zen, que niega la realidad objetiva del mundo.

No obstante, podemos aprender muchísimo de las formas tradicionales de meditación sin tener que adherirnos realmente a sus enseñanzas.

Pero hablaremos de esto más tarde; por el momento, basta con mencionar una diferencia significativa: uno de los objetivos de la meditación tradicional es vaciar la mente de todos los pensamientos y experiencias, mientras que en la meditación que yo enseño casi podríamos hablar de lo contrario. El objetivo es llenar la mente con pensamientos, imágenes y sentimientos, dejarlos fluir para crecer, cambiar, moverse y transformarse.

Este es un enfoque activo y participativo de la meditación, que ofrece la oportunidad de hacernos sensibles a lo que ocurre en nuestro interior. Así podrá tener en cuenta, analizar y modificar estos procesos interiores que actúan sobre el modo en que lleva su vida cotidiana, y podrá evitar seguir dejándose llevar por fuerzas, pensamientos y sentimientos interiores inconscientes.

Si se inicia en la meditación porque esta le ofrece un modo de calmar su mente, también obtendrá un resultado final positivo; si bien el proceso se inicia llenando y observando nuestra mente, lo que ocurre tras esto es resultado de lo que usted desea que ocurra, el propósito de su meditación. La mente puede calmarse y descansar, no mediante la supresión de pensamientos y sentimientos, sino permitiendo que estos entren y dejando que reposen, como las olas de la superficie de un lago.

Los libros que se han publicado sobre el tema de la meditación no suelen mencionar que no es preciso mirar hacia las filosofías orientales para buscar la inspiración y la orientación. Durante siglos dentro de la religión cristiana ha habido una tendencia meditativa, mística, aunque durante algún tiempo fue rechazada por las autoridades de la Iglesia. Sin embargo, existe un cuerpo literario y cognoscitivo sobre la práctica de la meditación y la contemplación dentro de la iglesia cristiana que nos resultará tan útil en nuestra búsqueda como lo sería un viaje a Oriente.

Ahora ha llegado el momento de definir los términos de forma más clara. ¿Qué quiero decir exactamente con la palabra *meditación*, y qué es lo que esta nos puede ofrecer?

Frescura interior

La meditación es la práctica de la conciencia relajada. Esto es lo que pretendo decir con la experiencia meditativa, no se trata más que de eso. Los dos estados de sentirse relajado y de ser consciente no son, en sí mismos, nada fuera de lo común, y ahora veremos lo que se entiende con ello. Lo que es único en la meditación es la combinación de ambos estados.

Por lo general, experimentamos la relajación sin la conciencia (en su forma extrema estamos dormidos), o bien la conciencia sin la relajación (cuando estamos en un estado de actividad, en la conciencia diaria, estado en el que nuestro cuerpo produce adrenalina: toma de decisiones, cambios de tareas, actividades mentales o físicas, etc.).

La experimentación de una conciencia relajada llega en esos valiosos momentos en que escuchamos música, paseamos por el bosque, miramos el paisaje desde una colina o realizamos cualquier otra actividad de ocio que nos permite relajarnos. Esto es precisamente lo que consigue la meditación, en particular en nuestras primeras experiencias.

Por esta razón, practicar la meditación puede compararse a tomarse unas vacaciones. Uno regresa fresco y rejuvenecido, con una visión más clara de la vida y de lo que desea hacer con ella. ¡Y, sin embargo, tan sólo se necesitan unos minutos y no hay que pagar por ello!

Cuando empiece a practicar la meditación, esto es lo que yo le enseñaré y lo que usted experimentará.

Después le sobrevendrá la duda de lo que debe hacer con el amplio sentido de conciencia resultante. Esta «conciencia» es algo así como encender una antorcha en plena oscuridad. Inmediatamente, muestra en su halo de luz los objetos que antes no podían verse. De esta manera, conforme va moviendo la antorcha por su entorno, va consiguiendo tener una mejor visión del lugar. ¿Dónde quiere hacer brillar esta antorcha? ¿Hacia dónde desea enviar este halo de luz? ¿Qué desea hacer visible?

En capítulos posteriores le sugeriré algunas cosas que puede intentar hacer; le explicaré las diversas posibilidades que existen. Elaboraré un mapa meditativo en el que el país esté señalizado con postes indicativos, y cuando usted emprenda su viaje personal contará con un mapa para avanzar en la dirección correcta y una antorcha por si se pierde en la oscuridad.

Relajación y tensiones

El primer paso para aprender a meditar es conocer algunas técnicas de relajación. Es seguro que la práctica de estas técnicas tendrá un efecto beneficioso sobre usted.

Hay mucha gente a la que, sencillamente, le es difícil desconectar y relajar la mente y el cuerpo. Este problema suele aparecer debido a la falta de práctica, a un estilo de vida demasiado exigente en el plano emocional y tan tenso que se pierde la conciencia de uno mismo, o bien al efecto que el estrés está teniendo en su sentido de bienestar.

El estrés está asociado a la falta de conciencia de uno mismo. Esto sucede hasta que nos parece que es demasiado tarde para que podamos hacer algo para evitarlo. Una mañana, uno se despierta y se da cuenta de que en cierto modo está sufriendo, quizá por las preocupaciones, por malos hábitos al dormir, por tener la presión sanguínea alta o por unas malas relaciones. Se siente atrapado en un círculo vicioso que parece no tener salida. Y sin embargo, la hay. La meditación requiere relativamente poco tiempo, por lo que no sirve de excusa decir que se dispone de poco tiempo.

Por supuesto, hay muchas maneras de controlar el estrés, pero la meditación es, sin duda, una de las más eficaces. Pero esto no quiere decir que sea capaz de eliminar las causas que han provocado el estrés. Si su intención al practicar la meditación es trabajar en firme y obtener beneficios duraderos, necesitará enfrentarse también a las causas. La meditación, no obstante, le ayudará a ser consciente de lo que necesita para cambiar. El resto depende de usted. Ocurre lo mismo que cuando alguien intenta dejar de fumar: sólo lo conseguirá si realmente lo desea.

Así pues, los ejercicios de relajación que le enseñaré aliviarán sus tensiones por completo, pero para impedir que vuelvan a aparecer tendrá que estar dispuesto a cambiar alguna cosa. Quizá alguna relación o algún aspecto de su dieta, o tal vez su trabajo. Sea lo que fuere, el proceso tiene que ver con realizar cambios; hay que convertir el estrés en energía positiva, que le sirva de ayuda en lugar de afectarle de forma negativa. Podrá poner al mundo de su parte. Con la meditación puede conseguirlo.

¡Nada de agotarse!

Otro punto que hay que establecer en un principio es que no debe preocuparse por el hecho de tener que adoptar posturas difíciles en los ejercicios de meditación. Hay algunas líneas directrices que le ayudarán para que su relajación y su meditación sean efectivas sin que impliquen ningún tipo de agotamiento.

Con esto quiero decir que si usted no está en forma o tiene algún tipo de discapacidad, también será capaz de meditar y obtener los mismos resultados que si contara con una magnífica forma física.

Efectos físicos

Cuando aprenda a meditar descubrirá inmediatamente que se pone mucho énfasis en una respiración correcta (por ejemplo, en el ejercicio sobre meditación de la página 72). Esta es una manera excelente de conocer el modo en que puede controlar las reacciones de su propio cuerpo.

Cuando respire un poco más profundamente de lo normal, introducirá más oxígeno dentro de los pulmones y espirará más dióxido de carbono. En consecuencia, su sangre absorberá una cantidad mayor de oxígeno, que será utilizado en el proceso de convertir la comida en la energía que permita a su organismo realizar correctamente las funciones vitales.

Un mayor aporte de oxígeno significa que el sistema circulatorio debe transportar menos sangre a cada órgano para que este cumpla bien su función. Como resultado de ello, su corazón no necesitará trabajar tanto, reducirá la presión sanguínea y podrá relajarse mejor. Con sólo respirar más profundamente, se relajará. Es muy sencillo. Volveremos a hablar de ello más tarde.

Esto es lo que le ocurre al cuerpo cuando se relaja. Pero ¿qué ocurre con la mente? Aunque, en el contexto de la meditación, la mente es más interesante que el cuerpo, la meditación es, en el fondo, una exploración de la relación existente entre el cuerpo y la mente.

Cuando uno se relaja, el cerebro emite un tipo diferente de onda electromagnética; para ser más precisos, lo que ocurre es que la frecuencia de estas emisiones se ralentiza. Las ondas cerebrales de menor frecuencia emitidas mientras meditamos son similares a las ondas rítmicas emitidas por el cerebro durante el sueño, por lo que es posible que el cuerpo se rejuvenezca y se restablezca del mismo modo que lo hace mientras duerme. La experiencia meditativa aporta algunos beneficios directos e inmediatos.

Una crítica que se suele hacer a la meditación es que es egocéntrica: cuando uno medita se concentra demasiado en uno mismo y no lo suficiente en los demás y en el mundo exterior, «real». Pero eso no es cierto. Descubrirá cómo la conciencia que le proporciona la meditación puede iluminar no sólo la relación que tiene con su propio mundo interior del inconsciente, sino también sus relaciones externas. Esta conciencia puede tener como resultado una mejora de las relaciones con otras personas en el trabajo, la familia y la pareja. Recuerde, no obstante, que la meditación le revelará los cambios que hay que realizar, pero depende de usted realizarlos o no.

La relación entre cuerpo, mente y espíritu

E l mayor beneficio de la meditación es la capacidad que nos proporciona para aumentar y trasladar los niveles de energía mental y física. Controlar las energías de esta manera implica la relación entre el cuerpo, la mente y el espíritu y, puesto que dicha relación constituye un elemento fundamental de la experiencia meditativa, entretengámonos un momento en explorarla.

Durante la evolución de la raza humana, no siempre hemos creído tener una mente y un cuerpo como entidades separadas. Antes del desarrollo de esta única propiedad de los seres humanos, la conciencia del yo, existía una forma diferente de conciencia que no hacía diferenciación alguna entre los reinos interno y externo de la experiencia.

Con la aparición de la conciencia del yo, el mundo pareció lleno de personajes mágicos, míticos y fantasmagóricos, dioses y diosas, elfos, duendes y duendecillos, y espíritus de todo tipo. Entonces se produjo el advenimiento del hombre moderno y la declaración de que la mente y la materia están completamente separadas y son reinos independientes. Esta es una noción propuesta por el filósofo francés del siglo XVII Descartes que se ha denominado dualismo cartesiano. A consecuencia de esto, toda esta experiencia mágica y mitológica desapareció para ser reemplazada por la mente racional y autorreflexiva.

Básicamente, nos quedamos hoy con la idea de que la mente y el cuerpo están separados y de que hay un mundo interior y un mundo exterior también separados.

En cierto modo, se podría decir que estamos atrapados en la jaula de nuestra propia conciencia del yo. Sin embargo, el desarrollo de otro concepto nos ha dado la llave para abrir la jaula y escapar de ella. Es el concepto de energía, la idea de que todo en el universo no es sólido sino que es un mar de energía que bulle y se transforma, un ente continuo, que no tiene límites, que no tiene ni «dentro» ni «fuera». Y esta es la visión de la nueva física, que ha recorrido un camino que ahora la lleva hasta las puertas del misticismo oriental. Sólo hay un mundo, con la parte opuesta de un todo aún mayor.

¿Dónde empieza y dónde acaba la mente? Evidentemente, no podemos dar una respuesta precisa a esta pregunta; no podemos ofrecer como respuesta una medida.

Para los tiempos venideros, debemos ser fieles a la idea de que hay una mente y un cuerpo, y de que en nuestro interior no hay uno sino dos. Tenemos una parte consciente, pensante, la parte que tiene experiencias y las registra; y tenemos una parte inconsciente que «contiene» todos nuestros recuerdos y es definida como la fuente de todos nuestros pensamientos, sentimientos e imaginaciones que no están actualmente en el campo de nuestra conciencia. Volveré a hablar de nuestro inconsciente más adelante, pero por ahora basta con saber que para los hombres primitivos todos los demonios, dioses y diosas vivían en el mundo natural «exterior», mientras que para nosotros, que estamos completamente separados por una barrera invisible de ese mundo, viven, en el inconsciente. Se han convertido en la vida de nuestra imaginación.

Depresión e inconsciente

El inconsciente es la fuente de todas nuestras energías vitales. Es la base de nuestro ser y podemos compararlo con el manantial de una fuente. Cuando el manantial se encuentra bloqueado o deja de proporcionar agua por alguna razón, entonces la fuente se seca.

Esta analogía me permite describir el estado mental de la depresión. La depresión va acompañada de la pérdida de la voluntad y de la energía. Puede darse debido a que el inconsciente intenta proporcionarnos un nuevo material de vida, una nueva inspiración, aguas revitalizadas, que por alguna razón quedan bloqueadas. Quizá no queramos ver lo que se nos presenta.

Sea por la razón que sea, la fuente de energía vital empieza a secarse y se instala allí la depresión. La depresión es una condición pasajera, no un estado fijo; tiene un desarrollo que implica un cambio y que lleva a la siguiente fase de nuestro crecimiento.

La meditación nos puede ayudar a superar una pérdida de energía o, incluso, una depresión porque puede proporcionarnos los medios para liberar la corriente de esas aguas energéticas que proceden del inconsciente. Esto se consigue concentrando ese rayo de luz de la conciencia en el inconsciente, iluminando lo que permanece oculto allí como un tesoro escondido que espera ser descubierto. Estas podrían parecer nociones imaginativas en esta etapa del proceso, pero hágame caso: no lo son.

El mundo de los sueños

Una de las formas elegidas por el inconsciente para comunicarse con la mente consciente son los sueños y las fantasías, a través de la meditación y del lenguaje simbólico que utilizan. La meditación puede implicar el uso de la imaginería guiada, que es el uso consciente que tiene nuestra imaginación para emprender viajes interiores y explorar los símbolos y las imágenes que el inconsciente arroja a la conciencia. Este tema tendrá un capítulo propio por tratarse de un tópico de tanta importancia (véase «Imaginería guiada»).

Históricamente, habiendo separado la mente del cuerpo, hemos llegado ahora a un punto en el que intentamos juntarlos de nuevo, para reconocer primero que tienen una relación simbiótica y descubrir después en qué consiste exactamente esa relación. Quizá al final descubramos que son la misma cosa. Esto es parte de la búsqueda meditativa, que explora este terreno limítrofe mítico que existe entre los mundos, entre el interior y el exterior, el consciente y el inconsciente.

Este enfoque de la meditación es parte de un movimiento de toma de conciencia que presenta una nueva actitud frente al mundo, el ser humano, el cuerpo, nuestras vidas, la salud y la curación, y el significado de la vida. Se trata de un enfoque holístico (que trata a la persona en su conjunto), y la actitud de cara a la meditación que yo enseño debería ser comprendida en este contexto. Tiene similitudes con muchos otros temas de este campo, como la autohipnosis, la visualización guiada, la técnica Alexander y el trabajo con los sueños, todo lo que implica la exploración de nuestro yo interior. Un efecto de esto es la toma de conciencia de que todos necesitamos crecer por dentro, psicológica y espiritualmente.

Dejar que crezca nuestra «tecnología» interna

Nuestro mundo tecnológico, materialista, es un mundo sofisticado. El avance tecnológico ha madurado a un ritmo alarmante, tanto que nuestra propia «tecnología» interna se ha quedado atrás. La meditación proporciona una oportunidad para participar conscientemente en nuestro propio crecimiento, acelerando el proceso, aprendiendo sobre nuestros impulsos inconscientes y nuestros deseos incumplidos. El resultado final es una mejora completa de estas facetas materiales de la vida, nuestra salud, nuestras relaciones, nuestros objetivos y aspiraciones y, lo que es más importante, nuestro sentido del valor, el propósito y la razón de estar vivos.

Cuando meditamos avanzamos un paso hacia adelante en la aceptación de responsabilidad para realizar esas mejoras en nosotros mismos y en el mundo en que vivimos. ¡La meditación puede ofrecer mucho más que una mente vacía!

TRADICIONES DEL MUNDO SOBRE MEDITACIÓN

Los elementos comunes

Veamos ahora las fuentes de muchas de las ideas que han sido adoptadas para la práctica de la meditación moderna, que debe mucho a las tradiciones antiguas aunque no ha adoptado la totalidad de las ideas que las conforman.

Lo cierto es que una vez haya comenzado a meditar, debería saber dónde buscar más inspiración si desea profundizar en sus estudios.

Otro factor que debe considerar es que hay tradiciones de meditación no sólo en el Este, sino también en las culturas y las religiones indígenas de Occidente, en el cristianismo y también en el paganismo. A continuación, nos referiremos a todas ellas. Sin embargo, si prefiere empezar directamente por el aspecto práctico de la meditación, quizá sea mejor que salte este apartado y vaya directamente al siguiente, que también le ayudará a realizar las meditaciones descritas aquí.

El mundo del budismo se abrió a Occidente a finales del siglo XIX y principios del XX, cuando un grupo de gente desarrolló una filosofía de religión que combinaba componentes budistas y cristianos. Esta doctrina unificada acabó denominándose teosofía. No obstante, las actitudes y las enseñanzas budistas no tuvieron una amplia aceptación en el mundo occidental hasta los años sesenta, cuando el interés dentro del movimiento *hippy* hizo que muchos de sus seguidores viajaran a la India en busca de un nuevo significado de la vida.

En aquella época se publicaron numerosos libros sobre meditación; la mayoría de ellos incomprensibles para las mentes occidentales. Como resultado de este fenómeno, muchos llegaron a la conclusión de que las psicologías orientales y occidentales eran incompatibles, y la gente perdió el interés.

Pero este interés se reanimó una vez más durante los años noventa, en gran parte mediante el movimiento Nueva Era, en el que hay una fuerte tendencia a adoptar ideas de viejas culturas, como ocurrió a principios de siglo con los teósofos. Y ha sido este enfoque ecléctico experimental el que ha conseguido convertir la meditación en un popular, accesible y, ante todo, comprensible enfoque de la vida.

En esta obra no ahondaremos en los orígenes de la meditación, ya que sólo disponemos de espacio para mencionar los principales constituyentes de esta mezcla de técnicas e influencias que la han conformado. A usted le tocará profundizar más, si así lo desea. Encontrará algunos libros recomendados en las «Lecturas recomendadas». Examinaremos brevemente el zen, una filosofía budista que considera de gran relevancia la práctica de la meditación; los *upanishads*, una serie de antiguos textos sagrados indios; el *Tao Te Ching*, un texto procedente de la antigua China; el misticismo y el cristianismo celtas, la tradición cristiana contemplativa; y la alquimia, la corriente esotérica de la Edad Media, que ha sido interpretada en términos de la psicología moderna de la mente.

Pero hasta un pequeño estudio como este pondrá de relieve algunas bases comunes entre los enfoques de meditación procedentes de culturas diferentes. Alguno de los mensajes comunes que nos llegan son:

• No se trata de intentar meditar; se trata simplemente de estar alerta, sin realizar juicios y siendo pacientes. Por usar una paradoja cercana al zen, intentar meditar es un acto sin sentido. Intentar tener éxito llevará siempre al fracaso.

• El mundo interior es dual en su naturaleza, y la meditación nos lo asegura. Nos revela la relación entre los opuestos del yo consciente y del yo inconsciente. También puede revelar una dimensión espiritual, así como una dimensión práctica y material.

• El inconsciente nos habla a través de los pensamientos y de los sentimientos que aparecen cuando estamos meditando, y en particular a través de imágenes simbólicas, que pueden cambiar, moverse y crecer en el ojo de nuestra mente.

• La meditación puede desencadenar un proceso de crecimiento y transformación que avanza a través de estadios particulares que podemos aprender a reconocer.

• Cualquier forma de iluminación es incompatible con los sentimientos de superioridad.

• La meditación nos ayuda a descubrir las cosas tal como son; por lo tanto, resulta una pérdida de energía ir contra la corriente, desear que nuestra suerte sea diferente de lo que es. Si somos infelices, recordemos que las cosas cambian y seamos pacientes. De esto se deduce que el tiempo —cuándo actuar y cuándo permanecer quieto— es importante.

• La realidad de cada día nos proporciona los ingredientes para la meditación, por lo que no necesitamos mirar más allá de lo que experimentamos en nuestra vida cotidiana para encontrar material con el que trabajar.

El budismo zen

El zen es una forma de budismo que, en la actualidad, se ha hecho bastante popular en Occidente. Hace hincapié en la experiencia directa de realidad y verdad del aquí y el ahora. Y la manera de conseguir esta experiencia es la meditación.

Las enseñanzas zen intentan romper con los modelos de pensamiento del intelecto para conseguir esta experiencia de realidad auténtica, y lo hacen en parte a través del uso de la paradoja.

Se ha hecho mucho para promover la filosofía del zen y sus prácticas, no sólo por parte de sus adeptos, sino también por los occidentales que han iniciado estas prácticas y han escrito clara y abiertamente sobre ellas.

Zazen es la práctica de la meditación sentada, en la que el cuerpo se convierte en una roca y la mente gana la fuerza de la inmovilidad que hay bajo las cambiantes corrientes de pensamientos.

Durante el siglo VI d. de C., las máximas enseñanzas del Buda fueron llevadas de la India a China, donde fueron conocidas como zen, con el significado de «señalando directamente al corazón del hombre». Este «señalar directamente» es la experiencia vital de la realidad, lo que la vida es en sí misma, sin mediación de palabras o ideas.

La forma zen de enseñar consiste en demostrar la realidad, más que en hablar sobre ella. Mucha gente se siente atraída por esta forma de busdismo porque sus adeptos no son egocéntricos y no se apartan de ningún modo de lo común, más bien lo contrario. Para alguien que practica el zen, cualquier término como *sagrado* o *Buda* es una trampa, ya que son tan sólo conceptos, no realidades.

«El zen no es una especie de excitación, sino una concentración en nuestra rutina cotidiana», dijo el moderno maestro zen Shunryu Suzuki. Esto indica algo especial en la práctica de la meditación zen, que señala directamente al hecho de que la realidad trascendental está aquí y ahora; está en lo que vemos sobre nosotros. Es inútil buscar una realidad mayor, ya que el cielo está más allá de la tierra. En el capítulo «Alquimia y tradición hermética» podrá comprobar que esta filosofía está de acuerdo en muchos puntos con la filosofía hermética de los alquimistas occidentales.

El zen está repleto de enseñanzas en forma de historias y de *koans*, que son una especie de poemas cortos.

El *haiku* es una particular forma zen de poesía. Basho es uno de los poetas *haiku* más famosos. Su iluminación aconteció cuando oyó el sonido de una rana que saltaba a un estanque. Como respuesta, escribió:

> El tranquilo estanque...
> Salta a él una rana:
> ¡suena el agua!

Por otra parte el zen detesta el egoísmo, no tolera verlo en forma de calculados efectos o como autoglorificación de ningún tipo.

La respiración zen

Este texto procede de las enseñanzas del maestro antes citado Shunryu Suzuki:

> Cuando practicamos zazen nuestra mente siempre sigue nuestra respiración. Cuando inhalamos, el aire entra en el mundo interior. Cuando exhalamos, el aire sale al mundo exterior. El mundo interior no tiene límites, y el exterior tampoco. Decimos «mundo interior» o «mundo exterior», pero realmente tan sólo hay un mundo.
>
> En este ilimitado mundo, nuestra garganta es como una puerta de vaivén. El aire entra y sale como alguien que pasa por una puerta de vaivén. Si piensa «yo respiro», el «yo» está de sobra. No le toca decir «yo». Lo que llamamos «yo» es sólo una puerta de vaivén que se mueve cuando inspiramos y expiramos. Sólo se mueve; eso es todo. Cuando nuestra mente está lo suficientemente tranquila y pura como para seguir este movimiento no hay nada, ningún «yo», ningún mundo, ninguna mente y ningún cuerpo; sólo una puerta de vaivén.

Meditación

Siéntese cómodamente y sea consciente de su respiración. Respire un poco más profundamente que de costumbre y note cómo esto le ayuda a relajarse.

Medite sobre su respiración. Reflexione sobre cómo en un minuto el aire está fuera de usted, después entra en sus pulmones y luego es absorbido por su cuerpo para convertirse en usted. Piense en el proceso inverso cuando espire. Contemple el infinito movimiento rítmico de espirar e inspirar. ¿Qué o quién está respirando?

Si en algún momento durante la realización de este ejercicio o de cualquier otro de este libro se siente incómodo, o si su meditación se ve interrumpida por el timbre de la puerta o por el teléfono, es totalmente aceptable que abra los ojos y reanude su conciencia diaria normal.

Los *upanishads*

S e trata de unos textos indios, de tres mil años de antigüedad aproximadamente, que fueron escritos en lengua sánscrita. La visión del mundo que elaboraban estos textos sánscritos era de carácter holístico; constituyen un material de gran relevancia para el pensamiento meditativo actual que contribuye a cambiar nuestra visión del mundo.

En los *upanishads*, los mundos interior y exterior son vistos como partes interrelacionadas de un conjunto mayor. Esta idea comprende el concepto del yo, y los *upanishads* describen la persona interna real. La mente india ve la vida como el juego de las polaridades, y esta naturaleza dual de la vida aparece reflejada en los textos. La idea del dualismo y la interacción de los puestos es un tema recurrente en todas las filosofías que resultan relevantes para la meditación.

Los textos hacen hincapié en la existencia de dos niveles de conocimiento, uno inferior y otro superior. Para la experiencia superior se requiere una calma mental, centrar la atención en el interior, lejos del mundo de la experiencia cotidiana, que se encuentra en constante cambio, hacia el silencio del absoluto, más allá del pensamiento.

La práctica de la meditación es primordial en las enseñanzas de los *upanishads*. Mediante la meditación, la persona obtiene una experiencia directa con el infinito, y gracias a esta experiencia será capaz de comprender mejor su mensaje.

Tanto el alumno como el maestro tienen que estar preparados para el proceso de instrucción. Se espera que el alumno sea puro y receptivo, «alguien tranquilo y cuya mente también lo es», nos dice el *upanishad* Mundaka. El maestro tiene que «haber aprendido de las escrituras y estar establecido como Brahman». En otras palabras, tiene que ser un iluminado.

Del *upanishad* Isha

Sólo para mostrar un ejemplo de estos textos, a continuación transcribo algunos fragmentos del *upanishad* Isha:

> Hacia una oscuridad cegadora van quienes rinden culto sólo a la acción.
> Hacia una oscuridad todavía mayor van quienes rinden culto a la meditación.

> Porque hay algo más que la meditación,
> hay algo más que la acción.
> Esto hemos oído de los iluminados que nos han instruido.

> Meditación y acción...
> Aquel que conozca ambas cosas juntas,
> mediante la acción deja la muerte atrás y mediante la meditación gana la inmortalidad.

Hacia una oscuridad cegadora van quienes idolatran el absoluto.

Hacia una oscuridad todavía mayor van quienes adoran lo relativo.

Porque hay algo más que lo relativo,
hay algo más que el absoluto.
Esto hemos oído de los iluminados que nos han instruido.

Absoluto y relativo…
Aquel que conozca ambas cosas juntas,
mediante lo relativo deja la muerte atrás y mediante el absoluto gana la inmortalidad.

Meditación

Siéntese tranquila y cómodamente, con el texto anterior a su lado. Piense en su significado. No intente comprenderlo por completo. Simplemente sienta las palabras y el ambiente que crean.

Medite sobre la naturaleza holística de la mente y el cuerpo, sobre los mundos interior y exterior. Intente imaginarse un símbolo o imagen que represente esta relación.

Medite sobre la idea de la iluminación. ¿Qué significa para usted?

El *Tao Te Ching*

El tao es una antigua filosofía china. Su esencia está contenida en los 81 capítulos del libro llamado *Tao Te Ching*, escrito por Lao Tsu. La palabra *tao* se suele traducir como «camino».

Lao Tsu era conservador de los archivos imperiales en Loyang, en la provincia de Honan, en el siglo VI a. de C. Por lo tanto, fue contemporáneo de Confucio, aunque mayor que él. Durante toda su vida enseñó que «el tao que puede decirse no es el tao eterno». A pesar de esta convicción, dice la leyenda que mientras cabalgaba hacia el desierto para fallecer, «enfermo en su corazón por los caminos del hombre», un guardián del noroeste de China lo convenció para que escribiera sus enseñanzas, de manera que pudieran quedar para la posteridad.

Mientras el confucianismo guarda relación con la realidad cotidiana, el *Tao Te Ching* y el taoísmo guardan relación con un nivel más espiritual y meditativo del ser. La filosofía de Lao Tsu es sencilla: acepta lo que tienes ante ti sin desear que la situación sea diferente.

Esta es una actitud muy similar a la del zen. Estudia el orden natural de las cosas y trabaja con él más que contra él, porque intentar cambiar lo que es sólo consigue crear resistencia. La actitud hacia la meditación y hacia la vida es la misma: si observamos con atención, veremos que el trabajo sigue adelante de forma más rápida y fácil cuando dejamos de intentar, cuando dejamos de hacer tanto esfuerzo, cuando dejamos de buscar los resultados. En la claridad de una mente tranquila y abierta se reflejará la verdad.

Esta idea se puede comparar con el zen, que también insiste en la idea de que los resultados no se consiguen con los intentos.

En meditación simplemente hay que ser paciente, aceptar lo que venga, tanto si es bueno como si es malo, tanto si lo deseamos como si no. En particular, deberíamos dejar de trabajar para obtener algo. Simplemente deberíamos trabajar —o meditar— en ello.

Esta lección es esencial en el aprendizaje de todas las formas de meditación. En este contexto, las paradojas son ineludibles: si *intenta* relajarse, fracasará. ¡Simplemente, relájese! El tao apunta que el esfuerzo debería ser «sin esfuerzo». Deje de perseguir los resultados y conseguirá su objetivo, aquí y ahora.

El *Tao Te Ching* ha sido traducido a más lenguas que cualquier otro libro, a excepción de la Biblia. Constituye la inspiración del *I Ching* (*Libro de las Mutaciones* o *Libro de los Cambios*), la forma práctica del taoísmo que aparece presentada en forma de oráculo.

Todo cambia, estamos en un estado constante de corriente. El oráculo revela los cambios que tienen lugar en la vida, de manera que podamos actuar en consecuencia y «seguir la corriente» más que luchar contra ella. *Tao* es «el sentido del camino», la ley natural que el *Tao Te Ching* nos explica. Describe cómo ocurren las cosas.

Algunos fragmentos del *Tao Te Ching*

Número ocho

El bien más elevado es como el agua.

El agua da vida a mil cosas y no lucha.

Fluye por lugares que los hombres rechazan y por ello es como el tao.

Al vivir, permanece cerca de la tierra.
Al meditar, penetra muy hondo en el corazón.
Al tratar con los demás, sé gentil y amable.
Al hablar, di la verdad.
Al gobernar, sé justo.
Al negociar, sé competente.
Al actuar, mira el tiempo.

Sin lucha: sin culpa.

Número veinticuatro

Aquel que camina de puntillas no es firme.

Aquel que da grandes zancadas no puede mantener el paso.

Aquel que finge, no está iluminado.

Aquel que muestra superioridad no es respetado.

Aquel que presume no consigue nada.

Aquel que fanfarronea no resistirá.

Según los seguidores del tao, «todos estos son comida de sobra y equipaje innecesario».

No aportan felicidad.

En consecuencia, los seguidores del tao los evitan.

El oráculo del *tao*: el *I Ching*

El *Libro de las Mutaciones* se utiliza como oráculo: mediante unas monedas o unas pajitas se obtiene un número que corresponde a una situación, a un momento de la vida. Sobre dicha situación, el oráculo ofrece una imagen, un dictamen y una explicación.

A continuación presentamos un fragmento del *I Ching* que pertenece al número 4, «Meng, la necedad juvenil». Puesto que le servirá como meditación, siéntese tranquilamente después de leerlo y medite sobre su significado.

Meng, la necedad juvenil

La imagen:
En lo bajo, al pie de la montaña, surge un manantial: la imagen de la juventud.
Así el noble, mediante su actuación escrupulosa, sustenta su carácter.

El dictamen:
la necedad juvenil tiene éxito.
No soy yo quien busca al joven necio,
el joven necio me busca a mí.
Al primer oráculo doy razón.
Si pregunta dos, tres veces, es molestia.
Cuando molesta no doy información.
Es propicia la perseverancia.

En la juventud la necedad no es nada malo. A pesar de todo, puede incluso lograr el éxito, sólo que es preciso dar con un maestro experto y enfrentarse con él del modo debido. Para ello hace falta, en primer lugar, que uno mismo advierta su propia inexperiencia y emprenda la búsqueda de un maestro. Únicamente semejante modestia y diligencia acreditarán la necesaria disposición receptiva, que habrá de manifestarse en un devoto reconocimiento hacia el maestro.

Así pues, el maestro debe esperar, tranquilamente, hasta que se acuda a él. No debe brindarse espontáneamente. Sólo así la enseñanza podrá llevarse a cabo a su debido tiempo y del modo que corresponde.

La respuesta que da el maestro a las preguntas del discípulo ha de ser clara y concreta. Siendo así, la respuesta deberá aceptarse como solución de la duda, como decisión. Una desconfiada o irreflexiva insistencia en la pregunta sólo sirve para incomodar al maestro y lo mejor que este podrá hacer es pasarla por alto en silencio.

Cuando a ello se agrega la perseverancia, que no cesa hasta que uno se haya apropiado del saber punto por punto, se tendrá asegurado un hermoso éxito.

El signo da, pues, consejos tanto al que enseña como al que aprende.

Misticismo y cristianismo celtas

Existe una temprana corriente del cristianismo que tenía más en común con el budismo que con las doctrinas de Roma, y que sigue teniendo adeptos en la actualidad. Esta forma de cristianismo floreció en la Alta Edad Media y fue mantenida por un grupo de practicantes solitarios que seguían una vida contemplativa. Se ha comprobado que muchas iglesias modernas cuyos cimientos fueron celtas habían sido originariamente morada de ermitaños que más tarde fueron canonizados y que obtuvieron un día especial de conmemoración. En muchos lugares de Irlanda, Gales y Escocia se pueden encontrar pequeñas capillas o restos de ermitas en las zonas más remotas y desoladas.

Cristianismo celta

En las comunidades monásticas cristianas celtas, la meditación era una parte significativa de sus vidas, y sus meditaciones dieron lugar a obras literarias y a trabajos artísticos. Sentían gran afinidad con la naturaleza y el mundo natural, al que atribuían propiedades místicas.

Los contemplativos dedicaban gran parte de su tiempo a permanecer sentados cerca de un río o de un árbol especial al que atribuían propiedades sagradas.

El cristianismo celta era una iglesia que no contaba con mártires y que no imponía el sufrimiento ni promovía disputas teológicas amargas. Se caracterizaba por la compasión y la moderación en todos sus aspectos. Cuando el cristianismo llegó por primera vez a Irlanda y al territorio británico, se fue mezclando sin problemas con los viejos métodos, ya que ambas ideologías compartían muchos de sus principios. Muchas de las prácticas druidas resultaban aceptables para los cristianos; los druidas, por ejemplo, promovían una inquebrantable creencia en la continuidad de la vida tras la muerte física.

A la mentalidad celta le resultaba natural componer plegarias especiales para cada ocasión, para usarlas como un mantra budista, casi como hechizos protectores. En la práctica de la meditación es normal utilizar algún tipo de herramienta como divisa protectora, para garantizar que no sobrevenga ningún mal como resultado del trabajo interior. Presentamos aquí una invocación protectora de un tipo conocido como *lorca*. Se trata de una inscripción que aparece en el peto de San Patricio:

> Me he levantado hoy
> a través de la fuerza del cielo:
> luz de sol,
> radiación de luna,
> esplendor de fuego,
> velocidad de la luz,
> rapidez del viento,
> profundidad del mar,
> estabilidad de la tierra,
> firmeza de la roca.

Este *lorca* contiene una clara referencia a los cuatro elementos: tierra, aire, fuego y agua. Estos no son interpretados hoy como elementos materiales sino como elementos psicológicos y, por lo tanto, son valiosos para ayudarnos a comprender la psicología de la meditación y la mente. La tierra es un símbolo para el cuerpo físico; el aire, para la mente pensante; el fuego, para la imaginación; y el agua, para las emociones. El *lorca* contiene también una expresión de aquellos opuestos omnipresentes representados por el sol, la mente consciente, y la luna, la inconsciente.

Meditación

Busque un lugar tranquilo, siéntese en una posición cómoda y cierre los ojos. Empiece a meditar sobre los cuatro elementos. ¿Qué relación guarda con ellos? ¿En qué proporciones existen en usted para constituir su propia y única personalidad? ¿Qué elemento está más desarrollado en usted? ¿Cuál está menos desarrollado? ¿Cuál le parece el más natural en usted? ¿Cuál le parece el más misterioso?

Misticismo

En la actualidad mucha gente ha renunciado al cristianismo por considerar que su iglesia ha perdido el camino espiritual y, en consecuencia, la habilidad para ofrecer una realización. Sin embargo, hay un amplio cuerpo de sabiduría y literatura sobre el misticismo en la tradición cristiana que incluye mucha información válida sobre la experiencia de la meditación contemplativa. Quien desee profundizar más en ello encontrará un rico filón para la comprensión inspiradora en la experiencia meditativa. Por ejemplo, Evelyn Underhill escribió en su clásico libro *Mysticism*:

> Fuera de lo profundo, reflexionando lentamente sobre algún misterio… el contemplativo se desliza, casi de forma insensible, hacia un plano de percepción para el que el habla humana tiene pocos equivalentes. Es un lugar que está aparentemente caracterizado por un inmenso aumento en la receptividad del yo, y por una suspensión casi completa de los poderes reflexivos. El extraño silencio que es la extraordinaria cualidad de este estado… no se puede describir.

Meditación

Siéntese y póngase cómodo. Cierre los ojos y, simplemente, escuche todos los sonidos que pueda escuchar. Todo lo que tiene que hacer es estar alerta. Escuche en el silencio cualquier ruido que pueda oír. Deje que esto tranquilice su mente. Medite sobre el silencio.

Alquimia
y tradición hermética

La historia de la alquimia se inicia en Egipto y la Antigua Grecia, pero a nosotros nos llega desde su resurgimiento y su práctica en la Edad Media europea.

Aunque en un principio la alquimia tenía como objetivo la búsqueda de una sustancia que transformara los metales básicos en oro, terminó convirtiéndose en una búsqueda interna, que intentaba pasar las formas externas del mundo material a las realidades que residen detrás. Esta forma de alquimia no es la relacionada con los experimentos químicos; todo lo contrario, la alquimia en sí era el experimento. De hecho, en la antigua China, la alquimia consistía en la búsqueda del elixir de la vida eterna.

En consecuencia, está claro que la alquimia contiene mucha comprensión e inspiración, las cuales resultan valiosas para entrar en los mundos interiores cuando meditamos. Cualquier meditación que llevamos a cabo es como un experimento alquímico en el que nuestra mente es el recipiente y nuestros pensamientos, sentimientos e imágenes internas son los componentes químicos.

Hermes y Paracelso

Hermes Trimegisto, según la tradición griega, fue un rey alquimista egipcio que se supone vivió en el siglo XX a. de C. Sus textos esotéricos sirvieron de guía a numerosos alquimistas egipcios y griegos, y tuvieron un importante papel en las polémicas religiosas que se desataron en el siglo IV d. de C.

Paracelso, médico y alquimista alemán, fue uno de los personajes más famosos e influyentes del siglo XVI. Creía que dentro de cada persona hay un universo interior que se corresponde con el universo exterior. Esta actitud empujó a los alquimistas a desarrollar su propia tradición meditativa. Explorando sus propias naturalezas, su universo interior, que estaba en correspondencia directa con el exterior, serían capaces de aprender más acerca de la manera en que funcionaba el mundo. En otras palabras, yendo hasta el interior estaban penetrando en los misterios del mundo material.

La idea de las correspondencias que introdujo Paracelso tiene mucho en común con el concepto del sincronismo, un término psicológico que sugiere que ocurren acontecimientos o existen correspondencias casuales llenos de significado. Esto, a su vez, ha encontrado su realización en la técnica del pensamiento positivo, que sugiere que podemos programar el inconsciente para que responda favorablemente, estableciendo la pauta correcta al pensamiento consciente. Las condiciones internas adecuadas son diseñadas para crear el correspondiente efecto exterior deseado. Hablaremos más profundamente de esto en los capítulos posteriores, en los que consideramos los efectos que puede tener la meditación en nosotros a través de los modelos o patrones.

Los sueños y la «imaginación activa»

Los textos alquímicos son casi inaccesibles para el pensamiento actual; parecen fantasías inconsistentes e ilógicas. Los escritos y las ilustraciones están plagados de una imaginería poco frecuente que puede estar basada no en las retortas químicas de los alquimistas, sino en sus sueños.

Una de las ideas clave del psicólogo del siglo XX Carl Gustav Jung era que el inconsciente se nos da a conocer a través de los sueños y de lo que denominó «imaginación activa», que es la observación consciente de imágenes internas, algo así como soñar despierto pero de un modo deliberado y resuelto. Este es otro de los temas que trataremos con más detalle en otros capítulos, ya que es un elemento importante de la experiencia meditativa.

Los sueños y la imaginación activa son mensajes del inconsciente escritos en un lenguaje simbólico. La razón por la que estoy introduciendo estas ideas es porque algunos alquimistas proyectaban los contenidos inconscientes de sus psiques en sus experimentos alquímicos. Las imágenes y los procesos que observaban podían proceder de una capa inconsciente profunda, que Jung denominaba el «inconsciente colectivo», proporcionándonos, de forma imaginativa, una imagen de la condición humana.

Su trabajo está siendo interpretado hoy para ofrecer una descripción de lo que *podemos* comprender sobre lo que ocurre en nuestro interior cuando meditamos y exploramos el mundo del inconsciente. La alquimia describe situaciones psicológicas particulares, o etapas del proceso de crecimiento interior —etapas que experimentamos según vamos desarrollando nuestras meditaciones—, y nos da la clave de la forma en que deberíamos proceder.

«Lo que está arriba, está abajo». La frase viene a decir que existe una correspondencia entre el mundo interior y el exterior, y esto significa también que hay una correspondencia entre nuestro yo interior, que experimentamos en la meditación, y el exterior, el mundo objetivo que tenemos a nuestro alrededor: «Como ocurre fuera, ocurre dentro» podría ser una traducción más moderna. En definitiva, la frase quiere decir que la materia, el cuerpo físico y el mundo material pueden ser identificados con el inconsciente. Por lo tanto, el inconsciente *es* el mundo material.

Meditación

Como ayuda para comprender todas estas ideas, intente pensar en el inconsciente como aquello que usted no experimenta o identifica como parte de su yo consciente. Además, imagine que cuando está caminando a lo largo de una calle, en realidad está caminando a través de su inconsciente, y que todo lo que usted ve y oye está en usted mismo.

QUÉ HACER
Y QUÉ ESPERAR

Primeras experiencias

L a meditación es sencilla y directa. Tal vez usted siga creyendo que es difícil porque hay mucho que aprender, que necesita ser iniciado en los diversos grados de la experiencia meditativa, y que tendrá que sentarse manteniendo una postura incómoda durante mucho tiempo. Nada de esto es verdad para el enfoque meditativo que aprenderá aquí.

De hecho, hay poco que enseñar, y lo básico puede explicarse en pocas palabras. Este capítulo y los tres siguientes cubrirán precisamente estas bases. Por lo tanto, si empieza usted de cero, estos son los capítulos que le ayudarán a seguir, responderán a sus preguntas y lo situarán en el camino correcto. El apartado siguiente está pensado para que pueda profundizar en la experiencia y para proporcionarle las vías de una exploración más intensa.

¿En qué consiste la meditación?

La meditación, como la hemos definido antes, es la conciencia relajada. Tenga esto en cuenta mientras aprende y dispondrá ya de una base firme sobre la que construir su experiencia meditativa.

En mi método, el estado de trance que suele asociarse a la meditación no es relevante. En todo momento dispondrá del control de lo que está realizando y será capaz de entrar o salir del estado meditativo cuando lo desee. Una condición de trance implica que posteriormente no se recuerda nada de lo que se ha experimentado. El método que yo enseño le permitirá estar completamente absorto en la meditación, pero a la vez sabrá lo que está ocurriendo —este es el punto clave— y lo recordará posteriormente sin ningún problema.

Sólo hay que obedecer una norma. Si se siente bien, todo *está* bien. Si hay algo que le hace sentir incómodo o inquieto, es una señal de que debería dejarlo. Puesto que es una experiencia personal y única resulta imposible decir qué debería pasar o qué no debería pasar. Hay algunas ideas y elementos comunes que voy a describir, pero la pregunta de si usted lo hace bien o no es irrelevante. Siga el ejemplo del zen mismo, que insiste en que la meditación —y, por tanto, la vida misma— no debería tener un objetivo ni ser realizada con la intención de obtener algún beneficio. Debería practicarse por ella misma. Si sus meditaciones son fáciles, está bien. Si son difíciles, también. Lo importante es seguir adelante con la experiencia aquí y ahora. Por ejemplo, sentirse aburrido mientras se medita no es razón para dejarlo. Se debe aceptar la experiencia y continuar.

Nunca se esfuerce por conseguirlo, porque eso hará que su meditación se oriente hacia algo que desea que pase en el futuro. El éxito se convierte entonces en algo que le pasará en el futuro, y sacará a su conciencia del aquí y del ahora. Este es otro elemento clave de la meditación: está completamente dirigida hacia el ahora, no a lo que pasará ni a lo que pueda pasar sino a lo que *está pasando*. Quizá en esta idea pueda encontrar la clave de la ayuda que supone la meditación en algo como el miedo. Mientras que esté meditando céntrese en el sentimiento del miedo en sí, no del miedo a algo, que va dirigido a algún momento o al futuro. Así podrá aceptar el sentimiento y, tal vez, dejarlo marchar. La meditación es una experiencia de *aquí y ahora*.

Si bien hablaré de lo que ocurre cuando medita —cuando se fija un tiempo para relajarse, cierra los ojos y viaja hacia su interior—, es importante darse cuenta de que la meditación no comienza cuando uno cierra los ojos ni finaliza cuando los abre. No puede ser compartimentado así. La meditación debería ser una actitud frente a la vida más que una actividad que realiza ocasionalmente. Cuando usted se sienta y medita, esta acción se convierte en un punto focal de la experiencia, una especie de recarga y de oportunidad para trabajar las cosas. Pero es sólo una parte de toda la experiencia.

Momentos adecuados para meditar

Puede meditar en el momento que lo desee (¡aunque es mejor que no lo haga mientras conduce!), y puede meditar durante tan poco o tanto tiempo como desee. Se trata básicamente de descubrir lo que le va mejor. No es, por ejemplo, ninguna competición para ver quién medita más tiempo; lo importante siempre es la calidad, no la cantidad.

Quizá usted descubra que prefiere la primera hora de la mañana, o antes de irse a dormir. Eso es decisión suya.

Hay gente que considera que la meditación le despierta, por lo que meditar antes de irse a dormir no es buena idea. Pero muchas otras personas piensan que les ayuda a relajarse y que después duermen mejor. Cada cual debe descubrir lo que le va mejor mediante la experimentación.

Este puede parecer un enfoque libre y fácil de la disciplina de la meditación, pero no hay nada malo en ello. Debería ser una experiencia positiva, sin problemas ni fastidios. No obstante, es útil tener al menos un poco de disciplina y rutina.

Intente reservar un tiempo y un lugar regulares para su práctica, aunque desarrolle sus propios y pequeños rituales, como una ropa especial y un poco de incienso. Establecer un ritual es de gran ayuda para crear la atmósfera adecuada que nos permita tener una experiencia positiva.

La postura

Debería vestir algo que no le limite en sus movimientos, y particularmente en su respiración, y debería sentarse o tumbarse adoptando una postura cómoda. No necesita matener una postura difícil o incómoda, sino todo lo contrario. Es decir, si está usted discapacitado, si es muy mayor o, simplemente, tiene músculos inflexibles, puede practicar la meditación como cualquier otra persona.

Lo más importante es que no contenga la respiración. Por lo tanto, si está sentado no debe inclinarse sobre su estómago o su diafragma. Debería sentarse derecho y con la columna lo más recta posible. Imagine que alguien ha atado una cuerda a la parte superior de su cabeza y está tirando hacia arriba, estirando su columna y permitiendo a sus pulmones llenarse con facilidad. Cuando se siente a meditar es aconsejable que desarrolle un sentido de crecimiento del espacio interior, y será más fácil obtener esta impresión estirando realmente su cuerpo.

La postura puede decir mucho de la actitud de un individuo frente a la vida. La forma de estar de pie, de sentarse y de moverse son llaves para el espacio interior del ser. La técnica Alexander tiene mucho que enseñar sobre este tema; es aconsejable estudiarla un poco.

Las posturas de piernas cruzadas, como el loto, asociadas a la meditación, si se realizan cómodamente proporcionan una base sólida y estable sobre la que permanecer sentado de forma completamente tranquila. Esta tranquilidad física pone de relieve la actividad dinámica que tiene lugar en su conciencia mientras medita. Cuando vea un meditador experimentado sentado así, de forma completamente tranquila, no significa que se esté tomando un descanso de su actividad cotidiana. Todo lo contrario: está teniendo lugar una enorme cantidad de movimiento, junto con los flujos dinámicos y las conversiones de energía. Pero todo esto tiene lugar en su interior, en un lugar invisible a las miradas.

Si se sienta usted con las piernas cruzadas, intente tener ambas rodillas en el suelo o apoyadas en pequeños cojines. Sin ese apoyo perderá estabilidad, y a largo plazo podría tener problemas de espalda. Asegúrese de que sus huesos de apoyo —las partes duras que nota cuando se sienta a su manera— están dirigidos hacia abajo. Puede localizarlos meciendo suavemente su cuerpo unos centímetros adelante y atrás. Si su pelvis está erguida, es más fácil alinear la columna. Los hombros deberían estar sobre las caderas y la cabeza debería estar erguida sobre los hombros. Las manos pueden descansar ligeramente en su regazo o sobre las piernas.

Sea cual sea la posición que adopte, lo más importante es que esté cómodo, estable y erguido. La meditación no es una prueba de resistencia, por lo que cuando empiece a practicarla debe experimentar hasta que encuentre una postura que le vaya bien. Sentarse en una silla con un respaldo derecho es correcto, y también estar tendido.

Este punto de vista es diferente del que adopta el zazen, en el que la postura es de gran importancia. La postura es utilizada en zen como una forma de enseñar, no como un medio para un fin sino como un fin en sí mismo.

Meditación

Adopte la postura meditativa que haya elegido. Si está sentado erguido, tome conciencia de su sentido del equilibrio, o de cómo la fuerza de la gravedad actúa en usted. Intente localizar un único punto de equilibrio, un punto a través del cual se concentren las fuerzas físicas que actúan en usted. Concentre su atención unos cinco centímetros por debajo de su ombligo. ¿Puede sentirlo como su centro de gravedad?

En zen, el término *hara* indica el abdomen desde el estómago hasta la zona que se encuentra por debajo del ombligo. El *tanden*, considerado el centro exacto de gravedad del cuerpo, está situado, como acabo de indicar, por debajo del ombligo. El hecho de concentrarse en este punto, el punto exacto del equilibrio, desarrolla tanto el equilibrio físico como el equilibrio mental.

La importancia de respirar

Ya hemos mencionado antes la importancia de respirar en meditación; al tomar conciencia del proceso respiratorio se hace evidente que el aparente dualismo es una ilusión, no hay «interiores» ni «exteriores» separados. En realidad, sólo hay un continuo entre los opuestos. Esto es un patrón de la filosofía que hay detrás de la conciencia correcta de la respiración. Hay un elemento práctico, además, que tiene que ver directamente con nuestra habilidad para relajarnos.

En meditación, la habilidad para relajarnos es esencial. Por esta razón, todo el capítulo «El juego interior de la relajación» está dedicado a las técnicas de relajación. Antes de entrar en ese punto, sin embargo, me gustaría decir algo sobre el papel del control respiratorio.

La tensión suele asociarse a la falta de oxígeno. El estrés puede hacer que el cuerpo luche por mantener un estado de equilibrio, liberando mucha más energía de lo normal. En casos extremos, la ansiedad deriva en ataques de pánico, durante los cuales se desencadenan movimientos respiratorios muy rápidos en un intento por absorber una cantidad mayor de oxígeno.

El proceso de oxigenación del organismo nos revela que, si respiramos deliberadamente de un modo más profundo de lo normal e inhalamos más oxígeno, estamos proporcionando al cuerpo una oportunidad para hacer este trabajo con menos dificultades. Esto es un hecho tanto psicológico como fisiológico. Intente respirar profundamente: descubrirá que este acto por sí solo le ayuda *automáticamente* a relajarse. Es un truco sencillo que puede utilizar en cualquier situación en la que le gustaría tranquilizarse, serenarse y relajarse.

En meditación, la primera ayuda es la relajación. Y se puede conseguir en parte a través de la respiración controlada, inspirando más oxígeno de lo que normalmente requiere el cuerpo para obtener los efectos antes descritos. Intente el siguiente ejercicio de meditación.

Ejercicio

Adopte una postura meditativa. Cierre los ojos y respire profundamente. Cuando sus pulmones estén totalmente expandidos, contenga la respiración mientras cuenta hasta diez. Entonces, de forma controlada, expire hasta que sus pulmones estén completamente vacíos. Repita esta operación diez veces.

A continuación, empiece a respirar de forma regular y rítmica, pero cada vez un poquito más profundamente de lo que lo haría normalmente. Siga haciendo esto durante un minuto o dos. Grandes suministros de oxígeno están ahora de camino hacia su cerebro y su cuerpo. Después siga respirando con normalidad, concentrándose en el proceso y en el ritmo. Observe cómo se siente.

Si en este punto no puede esperar para ir más lejos, puede intentar ahora cualquiera de los ejercicios de meditación que se presentan en este libro. No tiene que realizarlos en el orden en que aquí aparecen ni esperar hasta que haya avanzado en la lectura. Los que son particularmente adecuados para este momento son los de las páginas 132 y 135. Sin embargo, para obtener el máximo rendimiento de estos ejercicios debería leer al menos la parte final del capítulo «El juego interior de la relajación», que habla de las técnicas de relajación.

Sentido común

La regla de oro es la siguiente: si se siente bien y siente que la práctica le está llevando en la dirección correcta, es que todo está bien. Si pasa todo lo contrario, no vale la pena continuar. Aunque yo nunca haya obtenido efectos negativos, eso no quiere decir que esto no pueda ocurrir.

Por ejemplo, animo a los alumnos a usar su imaginación en la técnica de la imaginería o la fantasía guiada. Pero dicha técnica podría no ser adecuada para alguien con una imaginación hiperactiva. Si sus condiciones mentales son inestables, tenga cuidado y utilice su sentido común. Pronto descubrirá si le va bien o no. Aparte de este tipo de precaución, no hay efectos negativos que haya que tener en cuenta salvo, quizá, el posible entumecimiento que una sesión larga puede llegar a producir.

Presentamos aquí una muestra de lo que será el tema de las meditaciones guiadas y de la imaginería guiada (véase el capítulo «Imaginería guiada»).

Meditación

Adopte su postura meditativa, cierre los ojos y relájese con el ejercicio sobre respiración de la página 72. Cuando esté preparado, imagine una caja de cualquier tipo. Imagine que está sosteniendo y mirando la caja. Dele la vuelta. Examine su tamaño, su forma, su color y su peso. Es una caja especial. Cuando la abra descubrirá que contiene algo que necesita. Puede ser un objeto o, simplemente, un mensaje escrito en un pedazo de papel. Acepte lo que encuentre, sea lo que sea.

Esta meditación ilustra de modo eficaz el uso de la imaginería mental y la forma en que el inconsciente proporciona estas imágenes si las requiere. Las imágenes son simbólicas y pueden estar cargadas de significado para usted. Vuelva atrás e intente la meditación una vez más, tantas veces como quiera. Si desea descubrir más cosas sobre la imaginería guiada o la visualización creativa, como suele denominarse, en el capítulo «Imaginería guiada» encontrará información sobre el modo de conseguir visualizaciones, hacerlas efectivas e interpretarlas.

Primeras experiencias

Las experiencias iniciales de meditación suelen pasar por ciertas etapas que resultan bastante predecibles.

Primera etapa

Nos sobreviene una lógica preocupación sobre lo que ocurrirá y si lo haremos bien o no.

Segunda etapa

El aparente obstáculo de la primera etapa se supera pronto, cuando nos damos cuenta de que no es tan importante el hecho de ser capaz o no. Descubrimos que la meditación es una experiencia tan natural como respirar o comer. Simplemente se hace de forma natural.

Tercera etapa

A continuación viene un periodo de gran satisfacción, porque la meditación parece ser la respuesta a todas las cuestiones: sus efectos son positivos, inmediatos, motivadores y hasta espectaculares. ¡Disfrute este periodo mientras dure!

Cuarta etapa

En el siguiente periodo, casi siempre ocurre que nos parece que no sucede nada más, y el progreso parece haberse estancado. Es la fase en la que mucha gente abandona, pero si persiste recibirá su recompensa.

Quinta etapa

Esta etapa se caracteriza por una comprensión más profunda de lo que está ocurriendo con la meditación y de la manera en que experimentamos sus efectos a niveles más profundos que en la tercera etapa. Esta comprensión va acompañada de una toma de conciencia de lo necesaria que es la paciencia, puesto que advertimos que, como cuando aprendemos a tocar un instrumento, el progreso se produce de forma gradual por medio de la práctica.

Sexta etapa

La meditación puede ayudarnos a alcanzar nuestro objetivo, sea cual sea, pero debería llegar el momento en el que practicáramos la meditación por sí misma, y no de cara al futuro. Es el momento en que la meditación puede proporcionar sus mayores beneficios, cuando una dimensión espiritual aparece y empieza a crecer en significado. La práctica de la meditación se convierte entonces en un estilo de vida y en una actitud hacia la vida que supone algo mucho más relevante que el simple hecho de sentarse tranquilo por unos momentos.

El juego interior
de la relajación

S i le resulta difícil relajarse, quizá este sea el principal beneficio que encuentre al practicar la meditación. Este capítulo describe varios métodos de relajación; yo le sugiero que los explore todos. He descubierto que todos tienen algo que ofrecer.

Si hay alguno en particular que le va mejor a usted, tendrá suficiente información aquí para usarlo directamente, y, asociado a la información que puede obtener en el capítulo «Seguir adelante», le proporcionará los medios para llegar más lejos. Lo principal es que, para meditar, se encuentre en un estado de relajación o de conciencia relajada.

El problema puede ser abordado desde dos direcciones diferentes.

La primera es considerar cómo relajarnos mentalmente, cómo conseguir algún tipo de control sobre el flujo de pensamientos que mucha gente considera un escollo. La segunda consiste en descubrir cómo reducir la tensión muscular del cuerpo. De hecho, las dos direcciones están estrechamente relacionadas, y nada demuestra mejor que el proceso de relajación que la mente y el cuerpo son interdependientes.

Desde el punto de vista de la mente

Este es un problema del zen que incluye una gran paradoja. La relajación no es algo que se *hace*; es algo que *ocurre*. Tan pronto como uno intenta relajarse, el proceso se le escapa de entre las manos. Esto supone que, más que adoptar un papel activo en la relajación, es mejor dejar, simplemente, que ocurra.

La implicación es que hay algo dentro de nosotros que nos provoca el proceso de relajación, algo más que nuestro yo normal.

Admitamos que hay más de un yo dentro de nosotros, casi como si fuera otra persona. Uno de ellos quiere que nos relajemos y nos puede ayudar a conseguirlo. Pero hay otro yo que nos impide alcanzar la relajación. Llamémoslos «yo relajante» y «yo obstructivo», respectivamente.

Si tiene dificultades para relajarse quiere decir que el yo relajante tiene problemas con el yo obstructivo, que debería ponerse en un segundo plano y dejar al yo relajante tomar el control. La primera tarea consiste en identificar las cualidades asociadas con cada uno de estos dos yo. A continuación presento algunas sugerencias a las que usted puede añadir las suyas propias.

¡Después de todo, evidentemente usted conoce a sus yo mucho mejor que yo!

El yo relajante

Nuestro yo relajante es tranquilo y sereno, sabe lo que hay que hacer, no se preocupa sino que acepta las cosas tal como son, se centra en el aquí y el ahora; está abierto al cambio y a las sugerencias, quiere ayudarnos, está deseoso de aprender y no se siente presionado.

El yo obstructivo

Es hiperactivo e inseguro, se preocupa por el futuro, tiene una actitud rígida e inflexible, es un sabelotodo, está bajo presión y es impaciente.

Si el yo obstructivo se pone en su camino, su trabajo consiste en concentrar su atención en la relación que hay entre estas dos facetas de usted mismo y convencer al yo obstructivo para que abandone y permita imponerse al yo relajante.

Meditación

Cierre los ojos y concentre su atención en el yo obstructivo. Piense en las cualidades y en la personalidad de este yo. Intente imaginarlo como si se tratara de una persona. Si puede hacer esto, imagine que está manteniendo una conversación con el yo obstructivo para conocerlo mejor. ¿Qué le impulsa a actuar?

Imagine entonces que el yo obstructivo se va. Ahora deberá usted empezar a construir una imagen del yo relajante y pensar en sus cualidades y en su personalidad. Intente, también en este caso, imaginarlo como una persona y hablarle. Pregúntele qué necesita de usted para realizar su trabajo de manera eficiente.

Por último, imagine que une el yo relajante y el yo obstructivo de forma que consigue crear una estrategia para que el yo relajante pueda actuar de forma efectiva.

Controlar los pensamientos

Lo que estamos haciendo es aprender a concentrarnos en las partes de nuestra mente que son útiles, excluyendo (de manera sólo temporal) las que no lo son. De esto precisamente trata la meditación, de tomar conciencia de algunas características de nuestra mente y de nuestro inconsciente para poder recurrir a ellas cuando las necesitemos. Es una especie de «juego interior», y la meditación nos enseña a jugar este juego de forma útil.

Mucha gente tiene dificultades para controlar sus pensamientos y no puede ni siquiera llegar a ese punto. Si le ocurre esto, encontrará útil el siguiente ejercicio.

Si se dice a sí mismo «no puedo relajarme» no se estará ayudando; debería sustituir ese pensamiento por «puedo relajarme». Incluso cuando no se lo crea, encontrará que esta técnica de examinar sus pensamientos y reemplazar los negativos por positivos tiene los efectos deseados. Hablaremos más de esta técnica de pensamiento positivo y de la forma de controlar la mente en el capítulo «Los pensamientos son cosas», pero ahora intente realizar el siguiente ejercicio.

Meditación

Cierre los ojos y observe sus pensamientos. Va a calmar su mente, y para ello no tiene que poner a un lado sus pensamientos, sino simplemente permitirles que vengan. Deje que el primer pensamiento que llegue a su mente flote por su conciencia y que después se disperse. A continuación deje llegar otro pensamiento. Y otro. Y otro. Simplemente deje que el proceso siga adelante durante tanto tiempo como dure. Eso es todo lo que debe hacer.

Una analogía para esta meditación es considerar los pensamientos como olas en la superficie de un estanque. Simplemente deje que lleguen y se vayan, y finalmente mueran. Si intenta hacerse con alguna o pararla, lo único que conseguirá será empeorar las cosas y crear más olas. Este ejercicio de meditación funciona con una mente activa, pero tiene que ser paciente. Su mente necesitará un periodo más o menos corto para relajarse, para que las olas mueran. Si al final de su meditación no ha pasado nada, inténtelo más tarde, y tantas veces como sea necesario. Continúe hasta que la superficie del agua se calme y usted empiece a observar lo que hay debajo.

El agua es un símbolo de su inconsciente. Cuando los pensamientos superficiales se calmen podrá mirar dentro del inconsciente y permitir que los contenidos que hay dentro de él empiecen a llegar. Esto quiere decir que su mente nunca está vacía. Es algo así como un espacio que, en cuanto se vacía, hay algo que llega para llenarlo de nuevo. Es ese «algo» lo que desea usted, no el revoltijo cotidiano de pensamientos dirigidos por la tensión. Así podrá darse cuenta de lo importante que es, para la meditación, una mente relajada. Y esto equivale también a un cuerpo relajado, ya que, como ha aprendido, los dos son en realidad uno.

Para abordar el problema de la relajación desde la perspectiva de la mente, sea paciente y utilice el ejercicio anterior. Asócielo al desarrollo del juego interior de la relajación, llegando a conocer y trabajando el yo relajante y el yo obstructivo. Por ejemplo, ¿por qué el yo obstructivo se pone en su camino? Descubra el porqué y haga algo al respecto.

Desde el punto de vista del cuerpo

Como se describe en el capítulo «Primeras experiencias», puede utilizar su respiración para que le ayude a relajarse. Pero puede llevar esto aún más lejos: intente hacer el siguiente ejercicio.

Meditación

Cierre los ojos y empiece a respirar un poco más profundamente de lo normal. Haga más profundos sus movimientos respiratorios para que alcancen su diafragma y su estómago.

Ahora utilice su imaginación: imagínese respirando por diferentes partes de su cuerpo. Deje que el aire vaya hacia sus brazos, hasta alcanzar los dedos de las manos. Deje que el aire vaya hacia sus piernas, hasta alcanzar los dedos de los pies. Cuando espire, dígase en silencio «relájate», e imagine la tensión que sale, como si hubiera abierto una válvula y liberado la presión. Deje que la espiración se lleve la tensión lejos mientras se va relajando. Inspire profundamente, hasta que el aire llegue a los dedos de los pies. Espire y relájese.

El poder de la imaginación

Con este ejercicio está empezando a hacer dos cosas nuevas. Está utilizando su imaginación para que tenga un efecto sobre su cuerpo más que sobre sus pensamientos. Por supuesto que su respiración no va realmente hasta los dedos de sus pies, pero usted puede imaginar que sí lo hace. Y a la vez está empezando a acostumbrarse a la idea de desplazar su conciencia hacia diferentes partes de su cuerpo, está siendo capaz de desplazar su conciencia, y de dejar que descanse donde usted la lleva.

Utilizar la imaginación es una manera poderosa para conseguir relajarse. Si desea relajar sus pies, por ejemplo, imagine que sus pies están relajados y lo estarán. Puede utilizar la imaginación para crear los efectos deseados, de la misma manera que puede hacerlo a través de los pensamientos.

La clave para realizar el siguiente ejercicio consiste en hacer la práctica mental tan parecida como sea posible a la práctica física: si imagina que tiene ganas de relajarse, se relajará. Es casi como si pudiera hacer creer a su cerebro que envía los mensajes de relajación adecuados simplemente utilizando la imaginación. Para hacer que se relaje su imaginación y controlar la técnica, intente el siguiente ejercicio.

Meditación

Siéntese o túmbese y cierre los ojos. Dirija su atención a su mano derecha e imagine que se mueve. No la mueva realmente, simplemente imagine que lo hace. Ahora imagine que mueve la otra mano. Imagine que mira hacia abajo, hacia sus manos, y las ve moverse. Piense en todo su cuerpo e imagine que se levanta y empieza a caminar por la habitación. Entonces deje que su cuerpo imaginario se siente o se tumbe y se una nuevamente a su cuerpo físico. Imagine que se ve a usted mismo sentándose o tumbándose.

No se preocupe si encuentra difícil este ejercicio. Practíquelo igualmente y vea lo que consigue de él. No se preocupe tampoco por si lo hace bien o no. Hay personas que imaginan que se están viendo a sí mismos moviéndose alrededor, mientras que otros permanecen *dentro* de su cuerpo imaginario que se está moviendo y pueden ver desde él. Cualquier opción es buena. El propósito del ejercicio es poner en funcionamiento la imaginación visual y empezar a ejercitarla. La razón es que estas imágenes internas son tan poderosas como los pensamientos a la hora de ejercer su influencia sobre el cuerpo.

Si se imagina relajado, su cuerpo lo cree y actúa en consecuencia. Hay mucha más verdad en ello de lo que creen nuestros ojos: el uso de la imaginería, a pesar de que es muy común, no es muy comprendido. Mucho de lo que vemos de nosotros —lo que podemos hacer y lo que no, lo que los demás ven de nosotros, nuestras funciones, la manera de comportarnos, la influencia que tenemos sobre los demás— está influido por lo que *imaginamos* de nosotros mismos.

Dónde empieza la realidad y acaba la imaginación es una pregunta muy difícil de contestar. En términos físicos, ambas pueden actuar con mucha facilidad.

Si cierra los ojos y centra toda su atención en su mano, ¿estará imaginando su mano o es realmente su mano? Imaginar que la mueve mientras que realmente la mantiene quieta aclara la distinción, pero si usted simplemente es consciente de su mano, ¿cuánto de la imagen interna y del sentimiento de cómo es su mano depende de su imaginación? El capítulo titulado «Imaginería guiada» realiza una exploración más completa de todo ello.

Tensar y estirar

Existen también otras técnicas de relajación que vale la pena intentar. Hasta ahora hemos hecho hincapié en liberar la tensión, pero como veremos también puede funcionar la técnica opuesta. Poner los músculos en tensión antes de liberarlos también resulta efectivo. Sin embargo, hay otro proceso que suele pasarse por alto: el de estirar.

Estas técnicas pueden ofrecer un beneficio doble. Psicológicamente, los estiramientos abren el sentido del espacio interior; físicamente, ayudan a relajarse. Antes de empezar a meditar, intente realizar algunos ejercicios sencillos de estiramiento, haciéndose lo más alto posible y estirando sus brazos, manos y dedos. Intente entonces lo mismo con las piernas. Resulta particularmente beneficioso tumbarse boca arriba y expandirse hacia abajo, aumentando lentamente esta longitud mediante un estiramiento gradual.

A lo largo de un día, uno puede perder una cantidad mensurable de altura porque la columna se va comprimiendo a causa de la fuerza de la gravedad. Gradualmente retorna a su longitud total cuando se tumba, pero también puede fomentar este proceso mediante un estiramiento. Es bueno mantener los músculos en forma sin tener que ejercer presión en el sistema cardiovascular y, por tanto, es un buen ejercicio para aquellas personas con problemas de corazón o con hipertensión. Los estiramientos relajan los músculos y liberan cualquier tensión que haya en ellos.

Se trata principalmente de una cuestión de conciencia. Es fácil caminar durante todo el día sin darnos cuenta de la tensión que vamos acumulando en los músculos del cuello y de los hombros, hasta que la tensión se convierte en un dolor de cabeza. El cuerpo nos pide que nos fijemos en él y si no hacemos caso de esta petición provocaremos dolor.

La técnica Alexander, que está basada en la correcta alineación entre la cabeza, el cuello y la columna, tiene mucho en común con estas ideas; sugiere que si la manera en que nos imaginamos nuestro cuerpo afecta a su condición, nuestra postura corporal y la manera de movernos afectará a nuestra actitud general ante la vida. El cuerpo puede ser considerado un símbolo de nuestro estado interior. Una postura desplomada y unos hombros hundidos, por ejemplo, indica un estado de ánimo venido abajo por las preocupaciones.

Meditación

Siéntese y cierre los ojos. Imagine que hay un hilo invisible atado a la parte superior de su cabeza y que está siendo estirado hacia arriba. Siga este movimiento para que su cuerpo se estire hacia arriba, su columna se ponga recta y su abdomen disponga de más espacio para respirar. Deje que el hilo le haga adoptar la postura correcta. Puede intentar imaginar que se mira a sí mismo. Mírese de forma crítica y haga algunas modificaciones, quizá mover ligeramente una rodilla o ladear un poco la cabeza. Permita que su imaginación decida cuál es la postura perfecta para usted y siga sus instrucciones.

Sonidos y música relajantes

Se suele decir que para meditar se necesita un entorno totalmente tranquilo, pero no es cierto. Puede utilizar los sonidos que desee —con tal de que no sean demasiado fuertes— para ayudarse a relajarse. Simplemente, prográmese con el pensamiento y dígase que cualquier sonido que oiga sólo servirá para relajarse más. Dígase esto literalmente, tanto en voz alta como con el pensamiento.

Mucha gente encuentra relajantes algunos tipos de sonido; es interesante experimentar para encontrar lo que funciona. Por ejemplo, se pueden encontrar cintas y discos compactos de sonidos naturales potencialmente relajantes, como olas, lluvia discreta, cantos de pájaros, delfines, gongs y campanadas. No obstante, tenga cuidado, ya que lo que para una persona puede ser un sonido relajante, para otra puede ser un estímulo excitante.

También puede intentarlo con música, en particular con la música de ambiente de la Nueva Era o de algún estilo clásico. El canto gregoriano puede ser relajante y excitante al mismo tiempo.

Relajación autógena

Concluiremos este capítulo con una secuencia completa de relajación que podría usted grabar en una cinta para realizarla en otra ocasión. A lo largo de este ejercicio, imagine que sus miembros se vuelven pesados. Esta idea suele ser útil para la mayoría de la gente, pero no para todo el mundo. Las personas depresivas, que ya se sienten bastante «pesadas», no se relajarán mucho con esta sugerencia. Podría ponerles aún más nerviosas. Si este es su caso, funcionará la técnica completamente opuesta: imagine que se siente ligero y que flota mientras se relaja, más que sentirse pesado y en el suelo firme.

El sistema conocido como relajación autógena se sirve de la idea de hacer sugerencias mentales que son dirigidas a varios grupos de músculos para ayudarlos a relajarse, y en esto consiste, básicamente, el siguiente ejercicio. El método autógeno completo es mucho más largo y detallado que el ejemplo siguiente, que sirve para introducir una sesión de meditación. Si lo encuentra particularmente efectivo, quizá desee saber más sobre la relajación autógena (véase «Direcciones Útiles»).

Meditación

• Descanse cómodamente, con los ojos cerrados.

• Respire con facilidad.

• Inspire lenta y profundamente.

• Túmbese (o siéntese) con todo su peso.

• Déjese llevar y acomódese.

• Respire lenta y profundamente.

• Libere la tensión.

• Inspire lenta y profundamente.

• Espire por la boca, relajando todo el cuerpo.

• Libere la tensión y deje que el cuerpo se relaje y se sienta cómodo.

- Libere la tensión con cada espiración.

- Respire tranquila y serenamente.

- Permanezca tumbado (o sentado) con todo su peso y dejándose llevar.

- Relájese y tranquilícese.

- Deje que se relajen su cuerpo y su mente.

- Deje que ocurra.

- Deje que su atención se centre en las partes de su cuerpo, visualizando cada una de ellas, dejando marchar la tensión, empezando por los pies.

- Sienta su pie derecho pesado y relajado.

- Sienta su pie izquierdo pesado y relajado.

- Sienta su tobillo derecho pesado y relajado.

- Sienta su tobillo izquierdo pesado y relajado.

- Sienta su pantorrilla derecha pesada y relajada.

- Sienta su pantorrilla izquierda pesada y relajada.

- Sienta su rodilla derecha pesada y relajada.

- Sienta su rodilla izquierda pesada y relajada.

- Sienta su muslo derecho pesado y relajado.

- Sienta su muslo izquierdo pesado y relajado.

- Sienta su cadera y su nalga derechas pesadas y relajadas.

- Sienta su cadera y su nalga izquierdas pesadas y relajadas.

- Sienta su pierna derecha, desde el pie hasta la cadera, pesada y relajada.

- Sienta su pierna izquierda, desde el pie hasta la cadera, pesada y relajada.

- Sienta su vientre cómodo y relajado.

- Sienta la parte baja de la espalda pesada y relajada.

- Sienta los músculos del pecho cómodos y relajados.

- Respire profunda y fácilmente.

- Sienta las costillas libres y relajadas.

- Sienta el plexo solar cómodo y relajado.

- Sienta la parte superior de la espalda pesada y relajada.

- Sienta su mano derecha pesada y relajada.

- Sienta su mano izquierda pesada y relajada.

- Sienta su antebrazo derecho pesado y relajado.

- Sienta su antebrazo izquierdo pesado y relajado.

- Sienta su codo derecho pesado y relajado.

- Sienta su codo izquierdo pesado y relajado.

- Sienta la parte superior de su brazo derecho pesada y relajada.

- Sienta la parte superior de su brazo izquierdo pesada y relajada.

- Sienta su hombro derecho pesado y relajado.

- Sienta su hombro izquierdo pesado y relajado.

- Sienta su brazo derecho, desde la mano hasta el hombro, pesado y relajado.

- Sienta su brazo izquierdo, desde la mano hasta el hombro, pesado y relajado.

- Respire tranquilamente y de forma regular.

- Tenga conciencia pasiva de la respiración.

- Respire libremente.

- Respire tranquilamente y de forma regular.

- Deje que la respiración siga su curso.

- Los músculos de la respiración están libres y relajados.

- Su mente se calma.

- Los músculos del habla están relajados y tranquilos.

- Los músculos de la visión están muy relajados y tranquilos.

- La mente está tranquila y serena.

- El cuerpo y la mente están tranquilos.

- El cuerpo está caliente y relajado.

- La mente está tranquila y serena.

- Tenga conciencia pasiva de la mente relajada y tranquila.

- La mente está tranquila, serena y en paz.

Cuando llegue a este punto puede iniciar uno de los demás ejercicios de meditación o, tras permanecer relajado tanto tiempo como desee, regresar a la realidad cotidiana de la siguiente manera:

- Prepárese para regresar a la conciencia completa.

- La energía llena sus brazos, sus piernas y su cuerpo entero.

- La pesadez va desapareciendo.

- Los músculos faciales están relajados y vivos.

- La conciencia total regresará cuando contemos del cinco al cero.

- Cinco (estire las piernas y déjese llevar).

- Cuatro.

- Tres (estire los brazos y las piernas y déjese llevar).

- Dos.

- Uno (abra los ojos, despierte, relájese y siéntase bien).

- Cero.

Los pensamientos son cosas

La meditación ofrece la posibilidad de calmar una mente hiperactiva, de tranquilizar el constante flujo de pensamientos que tal vez estén causando una preocupación innecesaria o una implicación excesiva en las pequeñas dificultades de la vida, y que bajo presión podrían convertirse en algo desproporcionado. Quizá haya estado usted tumbado en la cama por la noche, preocupado por un problema que no se resuelve. Por la mañana, el problema parece tener sólo la mitad del volumen que tenía durante la noche, cuando los pensamientos descontrolados influían en la manera en que veía el problema. Entonces puede ver con claridad que sus temores eran completamente infundados.

Mucha gente sufre de este constante parloteo de la mente y querría encontrar algún respiro a este perpetuo amasijo de pensamientos. La meditación ofrece una ayuda para solucionar estos problemas; la relajación proporciona tranquilidad y calma mental. Sin embargo, eso no es todo. Veamos ahora cómo podemos aprovechar el poder que está contenido en nuestros patrones de pensamiento para llegar a conseguir resultados muy positivos.

El poder de los patrones de pensamiento

Los pensamientos tienen un poder enorme. Poseen la capacidad de hacernos tener éxito o fracasar en cualquier objetivo que intentemos alcanzar. Los pensamientos influyen en la manera en que nos vemos a nosotros mismos y el mundo que nos rodea. Nuestra manera de pensar puede ser destructiva y negativa, pero también puede ser positiva y constructiva. Lo que nos puede ofrecer la meditación es la posibilidad de reemplazar patrones negativos por patrones positivos, la capacidad para cambiar y controlar nuestra forma de pensar.

Los pensamientos inconscientes cotidianos

Considere sólo por un momento qué patrones de pensamiento particulares le preocupan durante casi todo el día. Este es un ejercicio realmente útil porque nos hace detenernos y darnos cuenta de cuáles son los pensamientos inconscientes que nos abordan durante el día, en particular los que nos dicen que «debemos» hacer esto o lo otro, o que «deberíamos» hacer esto o aquello. También es útil pensar en aquellos pensamientos negativos que nos dicen «no puedes» o «no lo conseguirás». Tal vez estos estén impidiendo inconscientemente que hagamos algo para lo que estamos totalmente capacitados con sólo cambiar la manera de pensar.

Los pensamientos tienen una influencia enorme en lo que creemos que podemos o no podemos hacer, así como en lo que podemos o no podemos conseguir. No es sólo que los pensamientos en sí tengan una influencia directa en nosotros, sino que además conllevan su propio cumplimiento. Si una persona tiene un pensamiento negativo, como «soy demasiado viejo para intentar algo nuevo», todo en esa persona intentará cumplir con esta frase como si fuera un hecho invariable. La manera en que la gente verá a esa persona, su comportamiento y su propia imagen de sí mismo, todo contribuirá a dar fuerza a este pensamiento como si se tratara de una verdad irrefutable. Si la persona piensa que es «demasiado vieja», ese pensamiento es tan fuerte como una creencia y, por lo tanto, tan poderoso como un hecho.

Las creencias

Los patrones de pensamiento nos pueden amarrar a ellos y conformar la idea que tenemos de nosotros mismos. Estrechamente asociadas a dichos patrones de pensamiento se encuentran las creencias.

Haga una lista de todas aquellas creencias que tienen influencia en su vida, desde las religiosas hasta las que se refieren a quién debe ser responsable de las tareas cotidianas de la vida diaria. Las creencias tienen tanta influencia en nuestras vidas como los pensamientos.

Sin no tenemos cierto grado de conciencia del yo, nuestros pensamientos y creencias «nos llegan» de un modo que indica que no tenemos control o influencia sobre ellos. De hecho, nuestros pensamientos y creencias nos controlan por completo.

Cuando haya tomado conciencia de la forma en que nuestras vidas son empujadas por lo que pasa dentro de nuestras cabezas, comprenderá lo importante que es hacer algo al respecto.

El valor de la meditación

Lo que puede ofrecernos la meditación es precisamente la capacidad de descubrir cómo liberarse del yugo interior que suponen las creencias y los pensamientos. La práctica de la meditación le mostrará cuáles son estas fuerzas negativas conductoras y le ofrecerá la oportunidad de cambiarlas.

Podría resultar toda una revelación descubrir que es posible cambiar nuestra manera de pensar, pero en realidad no debería sorprendernos, puesto que no es algo tan extraño: los seres humanos somos criaturas sugestionables.

Si nos repetimos constantemente que no somos buenos, que vamos a fracasar, que ocurrirá lo peor, nos lo creeremos... y ocurrirá. Por lo tanto, ¿por qué no reemplazar estos pensamientos negativos por otros que nos digan que somos buenos, que vamos a tener éxito y que va a ocurrir lo mejor?

Los mantras

Las formas tradicionales de meditación suelen utilizar un mantra que puede estar formado por una palabra, una frase o incluso un verso que se pronuncia repetidamente y se usa para concentrar la mente porque la ayuda a excluir todos los demás pensamientos y a tomar el control del proceso de meditación. Le sugiero que utilice un mantra.

Primero decida qué pensamiento negativo tiene que reemplazar por uno positivo y utilice el pensamiento positivo en su meditación.

Los *koans*

Los *koans* del zen han sido diseñados con propósitos meditativos. Se trata de una especie de adivinanzas mentales cuya función es romper el proceso normal de pensamiento racional y sus patrones rígidos de pensamiento para que la mente pueda empezar a discurrir por caminos diferentes, a pensar lateralmente.

La libertad que la meditación puede aportarnos implica la capacidad de cambiar el modo de pensar, o al menos de interrumpir el patrón que nos ata para que podamos considerar otras posibilidades. Únicamente hay que desear cambiar. Cambiar es fácil, sólo necesitamos cambiar nuestra manera de pensar. Pero si usted no desea cambiar, entonces, obviamente, no lo hará.

Presentamos aquí tres adivinanzas mentales basadas en la idea del *koan* zen. Si medita sobre ellas, interrumpirán sus patrones de pensamiento usuales y le concederán la libertad para elaborar sus pensamientos —y su yo— de nuevo.

Meditación

Se pone un bastón delante de usted. Si lo llama bastón, no lo habrá hecho bien. Si no lo llama bastón, se habrá equivocado. ¿Cómo lo llamaría?

Meditación

Su cuerpo tiene una situación en el tiempo y en el espacio. ¿Dónde está usted? Su cuerpo tiene una edad determinada. ¿Qué edad tiene usted? Como individuo, tiene nombre. ¿Es este su nombre?

Meditación

Si está usted seguro, está inseguro. Si tiene razón, con toda seguridad no la tiene. Si se fija en la diana correcta, ya habrá perdido el blanco. Todas las cosas tienen su opuesto. ¿Cómo puede ser?

Las afirmaciones

En mi libro *Meditation for every day* incluí una lista de afirmaciones útiles que vuelvo a enumerar a continuación para que usted pueda elegir alguna. Es posible que sean válidas para usted pero, en caso contrario, cree las suyas propias.

- La vida es bella. Me siento bien.

- Mi fuerza interior crece continuamente.

- Mis expectativas se cumplirán.

- En la vida no hay límites.

- La fuerza vital universal me llena.

- Ante mí esperan riquezas infinitas.

- Tengo el control.

- Acepto la responsabilidad de mi vida.

- Me abro a la fuerza y al poder.

- Me siento seguro.

- La vida fluye libremente a través de mí.

- La abundancia está aquí y ahora.

- Mis necesidades están cubiertas.

- Tengo las fuerzas para conseguir el éxito.

- Alcanzaré mi objetivo.

- Mi confianza crece constantemente.

- Me abro al amor.

- Me acepto por completo.

- La vida fluye a través de mí y yo sigo la corriente.

- Tengo calma interior.

- Soy libre.

- Acepto todo lo que me llega.

- Puedo transformar mi vida.

- El momento presente es todo lo que existe para mí.

- Me abro para recibir la recompensa de la vida.

- Estoy en el lugar exacto, en el momento exacto.

Meditación

Deje que le lleguen los pensamientos y déjelos marchar. Sea sólo un observador de sus pensamientos. Entonces, cuando se sienta preparado empiece a utilizar su mantra, repitiéndolo varias veces. A continuación, deje que sus pensamientos empiecen a regresar. Déjelos llegar y marchar. Obsérvelos. Utilice de nuevo su mantra y repita esta secuencia, observando cómo su flujo de pensamientos puede haber cambiado según se ha ido adentrando en la meditación.

Otros efectos del proceso de meditación

Es conveniente mencionar aquí algunos otros cambios que suelen ocurrir cuando usted medite de forma regular. Será más consciente no sólo de sus propios patrones interiores de pensamiento y de ser, sino también de los de otras personas. Esta conciencia le hará especialmente sensible a la manera en que se relaciona con los demás, esa especie de concesiones mutuas o de intercambio de energía.

Esta es una perspectiva diferente a la visión normal de cómo nos relacionamos con otras personas, pero pone de relieve los patrones inconscientes de pensamiento y sentimiento que también tienen lugar en nuestras relaciones sociales. Podrá ser consciente de la manera en que otras personas le influyen y del poder que tienen sobre usted. Estar rodeado de las actitudes negativas de otras personas es tan destructivo como ser bombardeado por los propios patrones negativos de pensamiento.

Intercambio e interconexiones

Quizá se haya dado cuenta de que algunas personas parecen tener un efecto relajante en usted, mientras que otras tienen un efecto estimulante. Esta es una característica más de la existencia de conexiones sutiles entre nosotros, porque no somos seres aislados sino que el mundo es un conjunto holístico, un todo. Nuestra manera de pensar nos afecta a nosotros pero también a otras personas. Esto tiene grandes consecuencias en nuestras relaciones personales, tanto en casa como fuera de ella.

La creciente conciencia de la capacidad de interconexión que la meditación y su modo de pensar aportan hace cambiar también el significado de otros hechos casuales. Una vez haya comenzado a meditar de manera regular, busque coincidencias que tienen lugar en su vida. La coincidencia implica una conexión casual entre dos acontecimientos. La meditación nos hace ser conscientes de las interconexiones casuales, y las coincidencias pueden estar cargadas de significado. Es como si, cuando hiciéramos un esfuerzo interior, el mundo nos viniera al encuentro.

Cuando empiece a pensar de manera diferente y cambie deliberadamente sus creencias —tal vez sólo como experimento, para ver qué ocurre—, descubrirá interconexiones sutiles que estaban ahí todo el tiempo, pero que sólo la conciencia que la meditación le aporta le puede revelar. Tan sólo es cuestión de conciencia. Entonces, la coincidencia deja de ser un fenómeno casual para convertirse en un hecho que, de alguna forma, ha sido causado por su manera de pensar. Se trata de un proceso creativo.

La fuerza interior

La meditación puede crear fuerza interior mediante el poder del pensamiento positivo. Digamos que tiene usted un problema específico que desea resolver. Quizá se ponga nervioso cuando habla en público, o tal vez sufra una gran tensión nerviosa en época de exámenes, o simplemente cuando está entre un grupo de gente. Puede utilizar la meditación para conquistar esta falta de confianza en usted mismo, tratándola desde su interior.

Defina su problema y sus objetivos

En su meditación, empiece por definir exactamente cuál es el problema y qué desearía conseguir exactamente. Tal vez entonces le sea posible ser consciente de algunos de los pensamientos que le molestan. Al igual que en la técnica utilizada en el juego interior de relajación, podría empezar por identificar el yo que le está causando tantos problemas. Identifique exactamente qué es lo que esa persona interior piensa y lo que le impide alcanzar su objetivo. En particular, identifique los patrones de pensamiento implicados.

También puede haber un amplio conjunto de sentimientos, como el miedo o el sentido de la duda; pero si usted siente que esos sentimientos negativos han desencadenado ya pensamientos particulares, son estos los que debe identificar como prioridad principal. Además, a los seres humanos nos resulta extraordinariamente difícil cambiar nuestros sentimientos, pero es bastante más fácil cambiar nuestra forma de pensar.

Tras haber identificado las cualidades y los pensamientos negativos de su persona interior, invierta algún tiempo en ir más allá, hasta el lugar de donde estos han surgido. ¿Cuáles son las influencias que han originado estos patrones negativos? Este trabajo interior puede ayudarle a identificar cuál es la solución más efectiva al problema.

Los patrones negativos de comportamiento, basados en pensamientos negativos, suelen ser el resultado de algún modo trillado de comportamiento. Es posible que su reacción fuera apropiada, por ejemplo, cuando estaba en la escuela. Pero ahora que ya ha crecido, ¿es necesario mantener los mismos viejos temores? Tómese su tiempo en la meditación para llegar a ser consciente de la influencia que tiene su comportamiento pasado sobre la situación presente.

Reemplazar lo negativo por lo positivo

La clave para sustituir pensamientos negativos por positivos reside en construir una imagen lo más clara posible de la persona interior que está fomentando temores y sentimientos no deseados. Después podrá empezar a trabajar para conseguir lo opuesto, es decir, para reemplazar los pensamientos negativos que ha identificado por pensamientos positivos. Es muy sencillo: por ejemplo, si ha descubierto que el pensamiento negativo es «no puedo» debe reemplazarlo en su meditación por «puedo», utilizando este pensamiento positivo como mantra. Lo que está intentando es que su inconsciente se ponga de su parte para apoyarlo en lugar de desanimarlo.

Debe convencer a la persona negativa de su interior y a sus patrones de pensamiento de que ahora no son bien acogidos y no tienen poder. Entonces reemplazará esos pensamientos por otros que le sean útiles, reforzados, por decirlo así, con la visualización. Cree una imagen de la persona negativa que hay en usted, y haga lo mismo con la persona positiva. Por último, deje que la persona positiva se convierta en la imagen principal que usted llevará en su memoria.

Caminos más largos que recorrer

Sin duda verá que las técnicas usadas en meditación coinciden en gran parte con las de otras disciplinas que se interesan por la relación entre la mente, el cuerpo y el espíritu, por lo que sería conveniente tener un enfoque multidisciplinar cuando se aprende meditación.

Una vez tenga la idea básica ya no le será imprescindible leer libros sobre meditación, pero informarse sobre los temas relacionados como la terapia de conducta cognitiva, la programación neurolingüística, la autohipnosis, la técnica Alexander y el aprendizaje autógeno, puede proporcionarle más inspiración y comprensión.

A cambio, la meditación tiene mucho que ofrecer a los practicantes de cualquier disciplina relativa al trabajo interior; puede ser de gran ayuda tanto en la curación como en la mejora del yo, el análisis psicológico o cualquier otro propósito.

Imaginería guiada

Una de las herramientas más importantes y efectivas que se utilizan en meditación es la imaginería guiada, es decir, el uso de la habilidad mental para pensar en imágenes. El objetivo es crear en nuestra visión mental una imagen concreta que tenga significado para nosotros en nuestra meditación particular.

Lo único que debemos hacer es utilizar nuestra imaginación para crear una imagen interna. Aunque esta parece ser una habilidad casi universal en los seres humanos, hay quien siente que no lo puede hacer con facilidad. Algunas personas lo hacen de forma natural, mientras que otras requieren un poco de práctica. Por ejemplo, puede ser algo que usted lleva haciendo desde la infancia. Los niños tienen una facilidad innata para usar la imaginación, pero la mayoría de las personas dejamos de utilizarla cuando alcanzamos la edad adulta, lo cual puede ser desalentador.

La experiencia de la imaginería guiada es parecida a la de soñar despierto, pero con una diferencia significativa. Mientras que soñar despierto es un acto totalmente libre y descontrolado, la imaginería guiada se hace conscientemente y con un propósito concreto. Es *guiada* por este propósito, sea cual sea. A nuestro inconsciente le gusta comunicarse con nuestro consciente mediante imágenes, de la misma manera que lo hace en sueños. De hecho, practicar la imaginería guiada es como soñar, pero en este sueño podemos seguir el camino que nos interesa.

Significados simbólicos

Las imágenes que nuestro inconsciente crea deberían ser consideradas símbolos. Su significado no es necesariamente explícito, literal y simple, pero podemos descubrirlo mediante la exploración de las diferentes facetas del símbolo y de lo que significa para nosotros, de cómo respondemos a él, de cómo nos hace sentir, de su significado en el contexto de la meditación y del propósito que pretendemos alcanzar.

Psicoterapia y curación

La imaginería guiada también suele utilizarse en otras disciplinas como la psicoterapia y la curación, en las que se considera un medio para crear relaciones. En psicoterapia se emplea con el paciente para que este establezca una relación con el inconsciente; en curación, la relación se establece con el cuerpo. La visualización es una clave para comprender la relación entre la mente y el cuerpo y, por consiguiente, también puede ser un medio para curar. Por ejemplo, imagine que realiza un viaje por su propio cuerpo. Si puede hacer esto mediante su imaginación, también podrá crear simbólicamente las condiciones que necesita para curarse a sí mismo.

Guiada, creativa y activa

La imaginería guiada puede ser denominada fantasía guiada, visualización creativa o imaginación activa. Todos estos términos aportan algo a la explicación del proceso. *Guiada* sugiere que las imágenes no son casuales, sino que han sido colocadas en la mente con propósitos específicos, para alcanzar un objetivo particular. *Creativa* revela que, al igual que ocurre cuando pintamos un cuadro, la imaginería guiada es un proceso en el cual las imágenes pueden cambiar, evolucionar y crecer según los deseos de nuestro inconsciente. *Activa* sugiere también que el proceso tiene cierta vida y que cada cual responde según las experiencias que ha tenido.

Aceptar lo que se nos revela

No se preocupe si cree que su imaginación no es demasiado activa. Mediante la realización de algunos de los ejercicios de este capítulo y el siguiente, empezará a despertar esta facultad y podrá desarrollarla.

Sin embargo, si tiene una imaginación hiperactiva, puede que los vuelos de la fantasía no sean buenos para usted, sino todo lo contrario; tal vez necesite algún método para dar una base sólida a su mente y evitar que despegue hacia el mundo de la fantasía. Utilice su sentido común para decidir si esta técnica es apropiada para usted o no.

En meditación, es importante no suprimir ni rechazar ninguno de los contenidos de su mente. Aunque esté concentrado en su habilidad para crear imágenes, los pensamientos y los sentimientos también tienen un papel importante. Todos entran en el mismo lote. La intención es abrir un canal de comunicación con el inconsciente para que sea posible explorar las imágenes, los pensamientos y los sentimientos que llegan a la mente y aumentar así nuestra conciencia de lo que ocurre dentro de nosotros. Es una manera de averiguar algo más acerca de las tendencias y las fuerzas inconscientes que están en funcionamiento durante toda nuestra vida pero que no solemos percibir.

Una de las consignas familiares del crecimiento espiritual y del desarrollo es «conócete a ti mismo». En esto nos puede ayudar la meditación si estamos dispuestos a aceptar todo lo que el inconsciente nos revele. Tal vez no nos guste lo que descubramos, por eso es importante aceptar lo que el inconsciente nos revela: esta aceptación nos permitirá aprender de ello, asumirlo e integrarlo en nuestra personalidad. De este modo, la meditación nos ayudará a crecer y avanzar.

Hacer rodar la pelota

Antes de iniciar una meditación con el uso de imaginería, debería decidir lo que pretende conseguir. Si no lo hace, meditar será poco más que soñar despierto. Si bien esto puede resultar relajante, es posible conseguir mucho más de la meditación si decide previamente los objetivos que quiere alcanzar. Quizá sólo pretende hacer una pregunta al inconsciente y pedirle que la responda mediante imágenes y símbolos que puedan ser analizados en profundidad. Por ejemplo, podría preguntarse qué necesita para solucionar una dificultad personal específica. Podría pedirle a su inconsciente que clarificara una decisión que debe tomar, o que mostrara algunas imágenes que representaran su futuro y la dirección que su vida debe tomar. Existe un número infinito de posibilidades.

Cuando se nos da una imagen en particular para meditar sobre ella o cuando creamos una escena en nuestra mente, estamos participando en un proceso de doble sentido. Cuando pintamos un cuadro, debemos hacer un pequeño esfuerzo para decidir cómo deseamos que sea ese cuadro, y entonces empezar a crearlo.

Una de las ventajas de la meditación en grupo es que resulta posible que alguien guíe la imaginería, que hable a través de ella y que sugiera en qué dirección deben ir las imágenes y cuál es el marco básico del viaje interior. Nuestro inconsciente puede entonces encargarse de los detalles; el objetivo debería ser dejar al inconsciente aparecer y decir su parte. De esta manera, las imágenes que uno crea crecen, cambian y se desarrollan. Uno puede llegar a sorprenderse de lo que lleva dentro, esperando para saltar a la mente consciente.

De vez en cuando es interesante grabar algunas meditaciones guiadas para poder volver a realizarlas en cualquier otro momento, siempre que se hayan dejado los espacios de tiempo adecuados entre las instrucciones y las sugerencias que se graban (véase también el capítulo «Seguir adelante»).

Las imágenes no tienen por qué limitarse a objetos; pueden implicar personas y lugares. Puede visualizar a personas diferentes y hablarles en su mente; cada una de las personas representará una parte diferente de su personalidad.

Crear con la imaginación es como hacer rodar una pelota. Hay que empujarla para que empiece a moverse, pero luego es posible que la pelota siga su recorrido si llega a una pendiente; no obstante, tendrá que ser empujada de nuevo cuando el suelo se vuelva plano o esté inclinado hacia arriba. Lo importante es aceptar todo aquello que proceda de la mente, es decir, no debe preocuparse en absoluto por saber si es usted quien crea las imágenes o si es su inconsciente, ni debería censurar sus imágenes (o pensamientos o sentimientos) sólo porque no le gustan o porque son muy triviales u obvias.

Todos los ejercicios de meditación del capítulo siguiente son sugerencias para utilizar la imaginería guiada; entre ellas, quizás encuentre la más apropiada para usted; en caso contrario, puede inventarse una para su viaje interior. *Viaje interior* es una buena manera de describir la experiencia, ya que eso es exactamente lo que puede suceder.

Feng shui

El *feng shui* es el arte chino de la colocación perfecta, que suele referirse a los lugares en los que vivimos y trabajamos. La distribución de estos espacios afecta a la manera en que respondemos a ellos (si nos sentimos bien o no). El *feng shui* puede, por lo tanto, afectar a nuestra salud, nuestra riqueza y nuestras relaciones.

Como ejemplo de imaginería guiada presento a continuación un ejercicio de meditación que yo mismo he utilizado y que quizá desee utilizar usted.

Meditación

La idea que reside detrás de la meditación es la construcción mental de una casa que es una representación de usted mismo. Construya en primer lugar una imagen exterior de la casa, tan clara y detalladamente como le sea posible. Piense en la casa como símbolo de su personalidad y de sus diferentes facetas.

El siguiente paso es entrar en la casa y empezar a explorar todas sus habitaciones. Cada una tiene una función específica, y representa una parte diferente de usted y de su vida. Por ejemplo, puede haber una habitación de memoria, una habitación de futuro, una habitación de carrera o una habitación de familia. Decida qué habitaciones desearía que tuviera su casa y luego vaya a explorarlas.

Cuando entre en una habitación debería explorarla y estar cierto tiempo dentro de ella. Tome nota mental de lo que encuentra, cómo se siente en la habitación, y si le gusta la habitación y sus contenidos. Puede incluso cambiar las cosas si no le gustan.

Lo que estamos examinando aquí es una versión interna del *feng shui*. Usted decide por sí mismo lo que está bien y lo que está mal, y actúa en consecuencia. ¡Lo bueno es que, si decide hacer modificaciones estructurales importantes o poner muebles caros, no le costará nada!

Tal vez haya otras preguntas que surjan durante esta meditación. ¿Hay otras personas viviendo en la casa? ¿Hay más gente que viene y se va? ¿Cómo es el jardín? La única limitación se encuentra en su imaginación que, por supuesto, es ilimitada.

Esta meditación no puede hacerse con prisas, y está pensada para que se repita de vez en cuando, pasado un periodo de tiempo. Su casa, como su personalidad, cambiará y se desarrollará según vaya descubriendo nuevos aspectos y vaya mejorando el contenido y su distribución.

En mi propia casa interior dispuse una habitación para meditar, a la que suelo acudir con frecuencia y en la que he decidido potenciar la fuerza de mis meditaciones. Tiene un ambiente místico y tranquilo, con unos colores y un mobiliario justo como a mí me gustan. En ocasiones, me aventuro por otras habitaciones si hay un área particular de mi vida que deseo explorar o esclarecer.

En la casa de cada persona hay siempre una habitación para cada situación. El resultado final podría ser una mansión o una casa muy pequeña con lo justo. Usted decide.

Interpretación de los símbolos

Normalmente, en el peor de los casos consideramos nuestra imaginación como una fuente de ilusión, y en el mejor de los casos como un medio para crear nuevas ideas. Todas las buenas ideas y los buenos inventos se inician en la imaginación. La imaginación es también la fuente de todos nuestros intentos artísticos, sean del campo que sean. Pero en el contexto de la meditación, la imaginación se considera algo totalmente diferente. Es cierto que incluye el proceso de creatividad artística, y que puede ser fuente de desilusión, pero en meditación se convierte en un medio de *percepción*. Puede considerarse un sexto sentido, un camino que nos lleva al inconsciente.

Interpretaciones generales y personales

Por esta razón hay mucho que aprender sobre los resultados de la imaginería guiada, ya que la información que nos proporciona cada uno de nuestros sentidos físicos necesita ser interpretada.

El primer paso es decidir si la información que sus imágenes contienen es relevante o no. Compárelas con la vista. Conseguimos gran cantidad de información durante todo el tiempo que nuestros ojos permanecen abiertos, pero estos suelen concentrarse en un objeto en particular en cada momento, aunque podamos mirar a nuestro alrededor para percatarnos de todo lo importante que hay en nuestro campo de visión. No siempre pensamos en las cosas que vemos, pero decidimos si lo que vemos requiere una respuesta y, si es así, qué respuesta debemos dar. Lo mismo ocurre con las imágenes internas.

Es posible interpretar estas imágenes exactamente del mismo modo que se puede interpretar un sueño. Las imágenes son alegorías de hechos inconscientes que ocurren en nuestro interior. Es posible definir qué representa una imagen concreta para nosotros. El jardín que hay alrededor de su casa interior, por ejemplo, puede estar plagado de malas hierbas. El mensaje simbólico es claro: hay algunas partes de usted que está descuidando y necesitan atención.

No hay que ser un experto en la interpretación de símbolos para entender una imagen. Puede ser útil conocer el significado arquetípico de una imagen en particular, como las que aparecen enumeradas en un diccionario de sueños típicos, pero lo importante es que cada cual decida cuál es el significado. Si describe la imagen a alguna otra persona, tal vez esta persona pueda ayudarle a aclarar su significado, apuntando algunas cosas que quizá se le hayan pasado por alto, pero al final es únicamente usted quien debe decidir qué significan las imágenes.

Evitar las interpretaciones literales

Tenga cuidado de no interpretar los símbolos de forma demasiado literal. Está bien quedarse con los significados más obvios, pero hay que explorar los símbolos y permitir que sus significados cambien y se desarrollen. Trabajar con una imagen en particular que haya aparecido en una meditación puede ser un ejercicio fructífero, en especial si se siente animado a descubrir más sobre ella.

Además, no necesita comprenderlas en un sentido intelectual. Al intentar comprenderlas puede impedir realmente que su significado se aclare. A menudo he descubierto que es mucho mejor permitir que las imágenes aparezcan y creen su historia con el tiempo, porque las imágenes recibidas del inconsciente son mucho más que simples mensajes. Tienen efectos sobre nuestra conciencia y pueden influirnos si dejamos que adquieran cierto espacio. Como pasa con la técnica de la relajación, en la que uno toma conciencia de su cuerpo físico, sencillamente ocurren.

Como ejemplo de por qué no debería interpretar esas imágenes de forma demasiado literal, hay una historia zen sobre un estudiante que vio al Buda durante su meditación. Corrió, muy excitado, a informar a su maestro que, más que felicitar al estudiante, le dijo en tono simpático: «No te preocupes; quizá cuando regreses a tu meditación el Buda ya se haya ido».

Eficacia probada

El campo de la visualización creativa es fascinante porque, en términos de meditación, es altamente eficaz.

Además, es un tema sobre el que se sabe muy poco, por lo que está abierto a todas aquellas personas que meditan para convertirse en auténticos exploradores de nuevos territorios.

En la época en que yo escribía este libro, un periódico publicó un informe que describía los resultados de algunos estudios realizados en la Universidad Metropolitana de Manchester, que fueron presentados en la conferencia anual de la Sociedad Británica de Psicología. Se había pedido a un grupo de estudiantes —todos hombres— que realizara veinte contracciones de los dedos meñiques ocho veces al día durante un periodo de cuatro semanas. A otro grupo se le había pedido que imaginara que realizaba el mismo número de contracciones durante el mismo periodo de tiempo. Al cabo de un mes, se midió la fuerza de los meñiques de todos los estudiantes con un aparato que mide la fuerza.

Los estudiantes que habían realizado los ejercicios físicos tenían sus meñiques un 30 % más fuertes. Pero también la fuerza del grupo que había trabajado con la mente había aumentado en un significativo 16 %. El elemento clave era la habilidad para imaginar la respuesta del músculo que habría sido experimentada si la tarea hubiera sido realizada en realidad.

Entrar en contacto con nuestro guía interior

Presentamos ahora una meditación para que la pruebe. Va acompañada de un comentario para ayudarle a comprender algunos de los símbolos empleados. Es una meditación que describió por primera vez Edwin Steinbre-

cher en su libro *The Guide Meditation*, y que me parece
muy útil e inspiradora.

Meditación

Cuando se encuentre realmente relajado y listo, imagine
mentalmente que está en una cueva. Hay la luz justa para
ver; puede moverse y explorar la cueva. Finalmente, en
el fondo de la cueva, a un lado, descubre una puerta.
Atraviesa la puerta y se encuentra en el campo. Mire a su
alrededor y siéntase realmente allí. Va a realizar un corto
viaje, pero primero necesitará un guía. Busque en su
mente un pájaro o un animal que acuda para ser su guía.

Acepte cualquier criatura que aparezca e imagine que
este pájaro o animal desea llevarlo a algún lugar. Sígalo.
Finalmente se da cuenta de que la criatura le está llevando hacia una figura que aparece a lo lejos. Según se va
acercando, se da cuenta de que es un sabio, alguien que
lo conoce y que le ha estado esperando para ayudarle en
sus viajes interiores.

Cuando llega al lugar donde se encuentra el sabio,
deja que la criatura que le ha guiado hasta allí se marche
adonde quiera. Preste atención a la persona que es ahora su guía. ¿Qué lleva puesto? ¿Qué edad tiene? ¿Qué
impresión le produce? ¿Qué impresión le produce usted
a él o ella?

Pida al guía que señale al cielo, hacia el sol. Si lo hace,
perfecto. Si no lo hace, mire por encima del hombro del
guía para ver si hay otra figura en la distancia y repita el
proceso de avanzar hacia la nueva figura y, cuando llegue
a ella, pídale que señale hacia el sol. Repita este proceso
tantas veces como sea necesario.

Cuando esté convencido de que su guía le será útil, dedique cierto tiempo a conocerlo mejor. Imagine que está hablando con él, descubriendo cosas sobre él. ¿Quién es? ¿Cuál es su nombre? ¿Qué intenciones tiene con respecto a usted? ¿Cómo va a ayudarle?

Pídale que le ofrezca un don, algo que pueda mantener consigo a lo largo de sus viajes interiores y que le ayude en el camino. El don del guía puede ser un símbolo que representa sus actuales necesidades. Acepte todo lo que le ofrezca. Pídale que le explique el significado del don y que le diga cómo usarlo.

Cuando esté preparado, dele las gracias por haberle ayudado y por estar con usted, y deje que la imagen se desvanezca.

Regrese a la conciencia de la realidad cotidiana y, cuando esté listo, abra los ojos y finalice la meditación.

¿Qué significaban los símbolos?

Hay algunos símbolos poderosos utilizados en esta meditación. En primer lugar, la cueva es una manera efectiva de entrar en la experiencia meditativa. Todo símbolo que le permita *entrar* será efectivo. Bajar escaleras, atravesar puertas, penetrar en un bosque o sumergirse en un estanque son formas de entrar en las profundidades de la propia mente. La cueva es un símbolo del desplazamiento por el túnel del inconsciente.

La puerta de la cueva está a un lado. ¿Está a la derecha o a la izquierda? Un movimiento hacia la izquierda suele indicar un movimiento hacia el inconsciente, mientras que hacia la derecha sugiere un movimiento hacia el yo consciente.

El campo abierto también es un símbolo de la tierra del inconsciente. ¿En qué estación del año estaba? ¿Cómo era el tiempo? El invierno representa el descanso y la recuperación, mientras que el verano sugiere que el inconsciente está en su punto álgido de productividad y creatividad.

En muchas tradiciones místicas y ocultas suelen aparecer animales y pájaros que actúan como guías. Los cuentos de hadas presentan abundantes criaturas que pueden hablar, tienen poderes especiales y hasta poseen la clave de los secretos que el viajero desea descubrir. ¿De qué animal se trataba en su meditación? ¿Cómo podría describir su personalidad?

Vayamos ahora a la figura principal de la meditación, el otro guía, esta vez en forma de persona que encarna su sabiduría y su intuición internas (instrucción interna), y está aquí para aconsejarle y ayudarle en su camino. Cuando encuentre esta figura, podrá apelar a ella para que le ayude en cualquier otra meditación, en cualquier momento. Es una especie de ángel guardián, un protector y un espíritu sabio; por lo tanto, es alguien con un gran poder.

El hecho de señalar al sol es una prueba para el guía, para comprobar que es un espíritu benévolo y le importan sus intereses. El tipo equivocado de energía se negaría probablemente a señalar al sol; miraría hacia otro lado, cambiaría de tema o haría algo completamente diferente. El sol es un símbolo de su yo interior, si el guía renuncia a él es necesario cambiar de guía.

Explorando mundos nuevos

¿Ve ahora cómo sus meditaciones guiadas pueden ser activas y creativas? Ahora que ha entrado en este mundo, puede ir dónde quiera dentro de él y explorarlo tanto como pueda. Apele a su guía siempre que lo desee. Todo lo que debe hacer es preguntar por él en su mente, tal vez diciendo su nombre, y aparecerá. ¡Puede incluso invitarlo a su casa para que le aconseje sobre el *feng shui*!

No es en absoluto necesario utilizar la imaginería en sus meditaciones, pero es una herramienta poderosa. En este enfoque de la meditación el objetivo no es vaciar la mente, como en el enfoque oriental tradicional, sino todo lo contrario, llenarla con los elementos que conforman su persona: sus pensamientos, sus sentimientos y las imágenes que le gusta crear a su inconsciente. El proceso se convierte en una exploración, la de descubrir cada vez más cosas sobre sí mismo, sobre cómo se adapta todo, sobre cómo los componentes de su mente responden y reaccionan unos con otros. Sus meditaciones se convierten así en una especie de experimento de alquimia. Usted crea el experimento, establece las condiciones adecuadas, y entonces tienen lugar las reacciones. Emergen nuevas imágenes, los pensamientos e ideas empiezan a formarse con nuevos patrones, se crean nuevas sustancias, es decir, las sustancias viejas se transforman en nuevas.

La meditación es un proceso dinámico. Observe a alguien que medite y verá cómo desde el exterior no parece que ocurra nada. Pero el interior puede ser un caldero en ebullición según la conciencia del meditador entra y sale de nuevos mundos, provocando una reacción conforme avanza.

LA DIMENSIÓN «ESPIRITUAL» DE LA MEDITACIÓN

Meditaciones para practicar

Este capítulo contiene una selección de meditaciones relajantes para practicar. Puede trabajarlas en el orden en que aparecen o abordarlas a su manera. Además, no hay ninguna razón que le impida adaptarlas a sus objetivos si tiene alguna idea propia. Si no logra recordar lo que se supone que debe hacer en una meditación, pida a algún amigo que lea y le guíe lentamente. De manera alternada, como se sugiere en el capítulo «Imaginería guiada», puede grabar en una cinta las meditaciones que ha elegido, dejando intervalos apropiados entre cada instrucción o comentario para que el ritmo sea el adecuado. Antes de empezar a meditar, asegúrese de que está cómodo y no será interrumpido, y dedique unos minutos a una relajación adecuada. Si sigue este proceso descubrirá que sus meditaciones son mucho más efectivas.

Caminar

Se trata de un ejercicio de meditación que debe ser practicado en el exterior. Es adecuado para aclarar la mente y aguzar los pensamientos.

Este ejercicio demuestra que no es necesario estar sentado para meditar. Para practicarlo adecuadamente, debe encontrar un lugar tranquilo y seguro por el que pueda caminar sin ser molestado.

Meditación

Camine lentamente y de forma rítmica, tomando conciencia de lo que ocurre. Medite sobre lo que ocurre dentro de usted mientras camina. Tenga presente quién está caminando y de dónde viene el deseo de hacerlo. Medite sobre las decisiones que toma al caminar: la longitud de la zancada, la dirección, cuándo detenerse y seguir. Dese cuenta de lo inconsciente que suele ser este proceso y de que ahora está siendo consciente de todo lo que pasa en su interior mientras camina.

Haga de su caminar un medio para llegar a una contemplación tranquila. No importa desde dónde o hacia dónde camine. Deje que la meditación sea la experiencia de caminar sin propósito o sin un objetivo en su mente. Deje que el caminar ocurra. Al final, intente experimentar la meditación de este modo: no es usted quien camina, es simplemente caminar. Esto le producirá una profunda sensación de paz interior; aunque se esté moviendo, es una manera efectiva de relajar su mente y su cuerpo.

Ser perfecto

Este ejercicio de meditación le servirá en lo que se refiere tanto a su postura como a su imagen corporal. También le podrá ayudar en su capacidad potencial para alcanzar la perfección.

Meditación

Imagine un ser perfecto que está sentado meditando con usted. Observe a esta persona interior y estudie cuidadosamente todo su aspecto externo: su postura, su apariencia y su actitud. ¿Hay algo en esta persona que pudiera imitar? Cuando se sienta con suficiente confianza puede acercarse a esta persona y hablarle. Imagine que le hace preguntas y permita al personaje que le conteste. Deje que la imagen de este ser perfecto forme un conjunto con su propio cuerpo. Sienta lo que significa ser perfecto.

Tome nota de cualquier sentimiento que surja en usted sobre la condición de la perfección. ¿Qué significa la iluminación? ¿Es algo que desea experimentar por sí mismo? Hay un ser perfecto en su interior deseando poder expresarse. Permita a esta parte de usted mismo entrar en su conciencia, donde puede empezar a influir abiertamente en usted con su consentimiento. Esta es una energía constructiva, en contraste directo con la influencia de «nuestros peores enemigos». Con demasiada frecuencia solemos impedirnos a nosotros mismos explotar nuestras capacidades potenciales. La energía del ser perfecto está aquí para reemplazar los impulsos negativos.

Respiración coloreada

Este es un ejercicio de meditación que da excelentes resultados cualquiera que sea el propósito. Proporciona una curación agradable para la mente y el cuerpo. También es útil para la relajación y la curación emocionales.

Meditación

Imagine un cristal nítido. Sujételo en su mano y sienta su frialdad, sus superficies duras, y mire dentro de él para ver más allá de su superficie. Sienta su peso y su textura en la mano.

Coloque el cristal delante de usted y medite sobre él. Imagine que empieza a irradiar energía luminosa.

El cristal empieza a irradiar luz. La luz se vuelve roja. Aumenta su intensidad y la irradia hacia afuera, y usted puede inspirar el color rojo hasta que alcanza sus pulmones. Respire profundamente hasta que el color rojo llene todo su cuerpo. Tome conciencia de cómo le hace sentir.

La energía luminosa cambia ahora y se vuelve naranja. Respire el color naranja hasta que llene todo su cuerpo, y sea consciente de cómo le hace sentirse.

Cuando esté listo, deje que la calidad de la luz cambie de nuevo, esta vez al amarillo, y repita la experiencia. Después de unos momentos, la luz se volverá de color verde; luego, azul; luego, añil; luego, violeta. En cada uno de los casos, respire hasta que el color entre en usted y perciba cómo le afecta.

Los diferentes colores tienen efectos diferentes. El rojo es estimulante, mientras que el azul es tranquilizante. El verde es el color del equilibrio, la armonía y la curación, mientras que el amarillo se asocia con el intelecto y la comunicación. Estas son asociaciones comunes pero pueden variar en su propia experiencia. Anote sus propias asociaciones. Durante la meditación, puede usted elegir un color en particular para cumplir un propósito, por ejemplo, para tranquilizarse, para sentirse estimulado, quizá para curarse o para aclarar sus ideas.

Pasado, presente y futuro

Este ejercicio de meditación le ayudará a obtener una perspectiva muy clara de su vida y de su dirección en el futuro.

Meditación

Imagine que está en un edificio sagrado del tipo que sea. Puede ser viejo o nuevo. Está solo en este edificio que ha sido utilizado para el culto o la meditación por mucha otra gente, como puede sentir en el ambiente. Tómese unos momentos para conocer el lugar. Desplácese por él para conocer todos sus secretos. Empápese de la atmósfera y permita que crezca en su interior una sensación de expectación.

En una de las paredes hay tres puertas y usted se desplaza hasta estar delante de ellas. La puerta de la izquierda atraviesa su pasado. Cuando esté preparado, abra la puerta, mire a través de ella y acepte las visiones que le lleguen. Podría incluso atravesar la puerta si lo deseara, hasta la escena que hay al otro lado. O podría simplemente mirar a través de ella, porque permite a los recuerdos de su pasado elevarse en usted.

Tras unos momentos, cierre la primera puerta y sitúese de nuevo ante las tres. La puerta del medio representa la vida presente, y cuando la abra y mire al otro lado, verá escenas, gente y circunstancias de su situación actual. Cuando esté listo, abra la puerta.

Cuando haya trabajado esto durante el tiempo suficiente, cierre esta segunda puerta y sitúese ante la tercera. Al abrirla se le revelarán imágenes, pensamientos y sentimientos sobre el futuro. Cuando esté listo, abra la puerta y acepte lo que llegue a su mente.

Cuando haya finalizado la experiencia con la tercera puerta, ciérrela y vuelva al espacio sagrado del edificio. Puede dedicar cierto tiempo a meditar allí, contemplando todo lo que ha experimentado acerca de usted mismo al abrir las tres puertas y mirar a través de ellas. Medite sobre su pasado, su presente y su futuro.

El jardín

Cree su propio espacio interior protegido; podrá ir allí en cualquier momento para solucionar un problema o, simplemente, para recuperar energía y pasar cierto tiempo a solas.

Meditación

Imagine que se encuentra en un jardín. No es un jardín conocido en su vida exterior, sino uno que únicamente existe en su imaginación.

Sitúese en este adorable lugar. Sienta el suelo bajo sus pies y el aire fresco en su cara. Mire a su alrededor para familiarizarse con lo que crece en el jardín. Empiece a caminar por él y explórelo sin ninguna prisa.

¿Cómo es el jardín de grande? ¿Qué tipo de flores, arbustos y árboles contiene? Disfrute con su estancia en él, empapándose del ambiente y absorbiendo la belleza de las cosas que crecen a su alrededor.

Este es un espacio protegido, sagrado. Es un lugar al que puede acudir en cualquier momento de sus meditaciones, si desea obtener algún resultado. Puede invitar a quien quiera a su jardín para charlar, solucionar algún problema, obtener una perspectiva mejor de sus problemas vitales o simplemente estar con usted.

El jardín es una imagen especial, un área protegida y sagrada en la que todos los experimentos y experiencias interiores pueden ser llevados a cabo en secreto y con seguridad.

Nadie puede entrar a menos que usted lo desee, nunca podrá entrar nadie sin su permiso. ¿Hay algún punto central del jardín, un lugar particularmente especial al cual puede ir para relajarse y meditar? Quizá haya un estanque o una fuente, o una rosaleda, o una enredadera junto un banco en el que sentarse. Tal vez el jardín forme parte de la casa interna que ya ha explorado anteriormente.

Podría invitar a su guía para que estuviera con usted y le hablara. El guía le sugerirá lo que podría ocurrir en su jardín, y cómo debería tratarlo y usarlo. El jardín está vivo, contiene las energías y los espíritus del crecimiento, de la tierra, del sol y del cielo.

Siéntese en el jardín durante unos instantes y medite. O bien practique la meditación antes explicada de caminar por el jardín.

Este es un espacio al que puede regresar siempre que quiera, por lo que no debe preocuparse una vez haya acabado la meditación.

Dejarse llevar: la piedra de los conflictos

Si hay algo que le preocupe, este ejercicio de meditación le ayudará.

Acuda a su jardín interior. Dedique unos instantes a meditar y a empaparse del ambiente.

Meditación

En el jardín hay una piedra especial; usted se dirige hacia ella y se sienta al lado. Empiece a pensar en sus problemas y sus preocupaciones en la vida. Deje que los pensamientos y los sentimientos asociados a una preocupación especial acudan a usted.

A continuación, imagine que todos estos pensamientos y sentimientos salen de usted y entran en la piedra. Deje, sin ningún temor, que la piedra los absorba y los contenga por usted.

Repita esto cuantas veces sea necesario hasta que se sienta limpio de preocupaciones.

Entonces, si todavía le molesta algo, deje que acuda a su mente. Cuando lo haya hecho, deje que salga de usted y entre en la piedra.

Experimente el efecto relajante y limpiador que provoca el pasar sus preocupaciones y problemas a la piedra. La piedra tiene una capacidad infinita para contener preocupaciones, y su propósito es absorberlas. Por lo tanto, no debe sentir ningún tipo de culpa por el hecho de estar pasándole sus problemas.

Pase tanto tiempo como considere oportuno junto a la piedra de los conflictos. Cuando esté preparado, deje atrás sus preocupaciones.

Aparición

Este ejercicio le hará ser consciente de las nuevas oportunidades que llegan a su vida.

Meditación

Imagine una semilla que reposa en la tierra. Ha llegado el momento de que germine, y en cuanto siente un poco de calor y de humedad, se abre. Medite sobre el crecimiento que se inicia. En su visión mental, observe la semilla emitiendo raíces hacia la tierra y el brote que crece hacia arriba hasta que sale del interior de la tierra para alcanzar la luz. Medite sobre este momento de aparición hacia la luz del día. Deje que continúe el crecimiento hasta que la raíz se haya desarrollado por completo.

A continuación, medite sobre esas cosas que están surgiendo en su vida. ¿Qué novedades están saliendo a la luz en su conciencia? Medite sobre cómo han germinado cuando se han dado el momento y las condiciones adecuados. Las raíces han penetrado en el suelo de su inconsciente antes de que los brotes aparecieran, antes de que, finalmente, surgieran a la luz. Si desea que algo germine en usted, debería proporcionar las condiciones adecuadas para que lo haga. Así, aunque en un momento determinado parezca que nada va a ocurrir, usted sabrá que la actividad se está desarrollando por debajo de la superficie de su mente consciente porque las raíces y los brotes están creciendo.

Medite sobre este proceso de germinación y de aparición, y vea cómo guarda relación con las circunstancias de su propia vida.

El círculo y la cruz

Se trata de un ejercicio de meditación que sirve para obtener protección psíquica y para crear energías curativas.

El círculo que contiene una cruz es el símbolo de la curación, la totalidad y la protección. Cada brazo de la cruz representa uno de los cuatro elementos (tierra, fuego, aire y agua); el círculo, por su parte, los contiene todos en un conjunto unificado.

Meditación

Imagine un círculo que contiene una cruz. Medite sobre la simbología del círculo y la cruz. Contemple su significado.

Imagine que el círculo y la cruz empiezan a irradiar luz. Deje que esta energía luminosa crezca en intensidad hasta que le llene. La luz crece aún más, tanto que empieza a irradiarse hacia afuera, hacia el universo. Deje que la luz se expanda hacia afuera, para que sus vibraciones curativas puedan tocar a todo el mundo y a todas las cosas que compartimos en este mundo. Si hay alguna persona o cosa a la que quiere enviar curación, en este momento puede pensar en ella durante unos segundos.

La energía luminosa empieza a morir, hasta que puede volver a ver el círculo y la cruz. Deje que se desvanezca esta imagen, hasta que sólo le quede la conciencia de su respiración. Respire un poco más profundamente y permanezca completamente relajado. Cuando esté preparado, abra los ojos.

El niño interior

Tome conciencia de las energías creativas que son descuidadas en su interior, esperando ser emitidas.

Meditación

En su interior hay un niño pequeño que espera que se le permita expresarse. Entre en contacto con él y sea consciente de su existencia. Apele al niño de su imaginación para construir una imagen de él, su edad, su apariencia y su personalidad. ¿Recuerda las cosas que le gustaban cuando era pequeño? Invite al niño a ir con usted para disfrutar de estas cosas de nuevo. Esta vez las disfrutará como adulto, acompañado por este niño interior del que es responsable.

Puede hacer lo que le apetezca, puede ir a donde desee. Pregúntele al niño qué es lo que necesita de usted y, cuando lo sepa, dele exactamente lo que necesite. Puede realizar esta experiencia sintiéndose padre e hijo al mismo tiempo. Deje que el niño le cuente sus sueños. Puede haber algo que el niño anhele hacer pero no puede porque no tiene la edad necesaria. Descubra cuáles son los sueños del niño y atribúyase la tarea de perseguirlos.

Cuando era niño quizá tenía sueños que no pudo realizar. Deje que el niño interior le recuerde cuáles eran esos sueños, que están enterrados en su memoria inconsciente. Deje que afloren de nuevo. El niño le enseñará sus sueños, mientras que usted puede permitirle expresar sus necesidades y deseos.

Todo el mundo crece, pero en algún lugar de nuestro interior permanece la memoria del niño que una vez fuimos. Si había algún aspecto de nuestra vida como niño que no se vio realizado, con la meditación podremos remediarlo. Permita que su niño interior se sienta libre durante un instante; puede ser una fuente de creatividad. Conceda amor y atención a su niño y, a cambio, él le proporcionará la posibilidad de sentirse realizado.

Viaje por la montaña

Este ejercicio de meditación crea un lugar en el que usted puede alejarse de todo por un instante para poder obtener una visión objetiva del mundo.

Meditación

Se encuentra al pie de una montaña, en un camino que lleva hasta la cima, y comienza a caminar por él. Disfrute del paseo. Respire el aire fresco de la montaña. Experimente la soledad. Sienta la realidad de la montaña, la tierra bajo sus pies, el aire contra su rostro.

Ascienda lentamente, fijándose en las características de la montaña. Tal vez pase por una pequeña laguna o por una cueva en la ladera de la montaña. Quizá piense que en su viaje de regreso le gustaría explorar la cueva, o detenerse para descansar junto a la laguna.

Ascienda lentamente hasta que se vaya abriendo una vista panorámica a su espalda, y pronto se dará cuenta de que está acercándose a la cima de la montaña. Siga adelante hasta que llegue a la cumbre.

Dedique unos momentos a buscar un lugar en la cima en el que pueda sentarse y disfrutar de las vistas. Mire hacia abajo, hacia el mundo del que ha venido. Empiece a contemplar su vida, pensando sobre ella, recordando e imaginando las circunstancias que existen en la región que ha dejado atrás.

Medite sobre cualquier cambio que le gustaría hacer en su vida. El hecho de estar en la cumbre de la montaña le ayuda a ver las cosas con más claridad y decidir qué necesita hacer.

Cuando esté preparado, empiece a caminar montaña abajo, pasando por todos los lugares que vio durante la subida. Si lo desea puede explorar la cueva o detenerse en la laguna.

Al final, se encuentra usted de nuevo en el pie de la montaña. Deténgase por un momento para mirar atrás, hacia el camino por el que ha venido y hacia la cumbre ahora distante.

Tres deseos

Cree el impulso inicial en las circunstancias correctas para conseguir sus objetivos.

Va a pedir tres deseos. El primero será para usted mismo; el segundo, para alguna otra persona o personas de su vida; y el último será para el mundo entero.

Meditación

Antes de empezar la meditación, decida cuáles son los tres deseos que quiere pedir.

Cuando ya lo tenga decidido, piense en el primer deseo, algo que desea para usted. Medite sobre las consecuencias que tendría su deseo si se hiciera realidad. Si quiere puede cambiar el deseo, pero si está contento con él, pídalo.

Después, medite sobre su segundo deseo, el que quiere pedir para otra persona. Medite sobre las consecuencias que tendría si se hiciera realidad, y si sigue estando satisfecho con él siga adelante y pídalo.

Piense ahora en su tercer deseo, que puede ser algo así como que haya paz en el mundo, que se acabe el hambre o que el medio ambiente esté a salvo. Medite sobre las consecuencias que podría tener si se hiciera realidad. Cambie el deseo si así lo quiere, o siga adelante y pídalo.

Dedique cierto tiempo a meditar sobre los deseos que ha pedido y las razones por las cuales los ha pedido.

Tiempo de soñar

Este es un ejercicio de meditación para que pueda explorar sus sueños sin caer dormido. Desarrolla la experiencia del sueño lúcido.

Meditación

Se encuentra en un lugar conocido como el Templo de los Sueños, y lleva puesto con un traje de ceremonia porque se va a celebrar una ceremonia de sueño. Otras personas también participarán en ella, pero usted es el centro de atención. Tras los preparativos lo llevan a una habitación especial. En ella encontrará un sofá cubierto con suaves cojines.

Se tumba en el sofá y se prepara para desempeñar su papel en la ceremonia. Va a dormir en este sofá durante unos momentos, pero primero debe decidir sobre los sueños que desea tener. Quizá le gustaría que se le mostrara o se le explicara algo, o que se le diera respuesta a alguna pregunta. Si no tiene preferencias o no tiene preguntas que hacer, prepárese para lo que pueda surgir.

Imagine que se duerme y empieza a soñar. Permita que las imágenes, los sentimientos y los pensamientos del sueño lleguen a usted mientras duerme. Medite sobre su sueño, permitiendo que fluya por usted. Acepte lo que surja y no tenga prisas por acelerar la experiencia. Si no surge nada tenga paciencia, ya surgirá.

Finalmente, se despierta y lo llevan de nuevo al Templo de los Sueños. Allí le preguntan sobre su sueño y usted cuenta todo lo que ha experimentado. Por último, la ceremonia finaliza y usted abandona su mundo interior para regresar a la realidad.

El árbol de la vida

En este ejercicio, meditará sobre las raíces y las ramas de su vida, las asegurará y hará que crezcan y se desarrollen de forma adecuada.

Meditación

Está en los límites de un bosque, entra en él y empieza a avanzar por entre los árboles. Avance hacia lo más profundo del bosque, empapándose de su ambiente mágico y tranquilo, buscando su centro. Camine hasta que llegue a lo que parece la parte más oculta, justo el corazón del bosque. Aquí encontrará un viejo árbol que le dejará embelesado por su edad, su belleza y su tamaño.

Muévase hacia el árbol y toque su tronco. Mire hacia arriba, hacia las ramas. Camine a su alrededor y elija un lugar en el que pueda sentarse y apoyar su espalda en el tronco. Imagine que cierra los ojos y empieza a meditar sobre el árbol.

Tome conciencia de sus raíces, de cómo van penetrando en la tierra y se sujetan firmemente a ella. Las raíces obtienen alimento del suelo. Tome conciencia del tronco y de la inmensa fuerza que contiene mientras transmite elementos nutrientes desde las raíces hasta las ramas. Tome conciencia de las ramas, de cómo se extienden hacia afuera y hacia arriba para recibir la luz del sol. Tome conciencia de las hojas y de cómo absorben la luz para convertirla en energía nutritiva para el árbol.

Ahora medite sobre sus propias raíces. ¿Dónde residen en su vida? ¿Son muy profundas? ¿Le aportan el alimento que necesita desde las profundidades del suelo? Medite sobre su propio tronco (su fuerza, tanto física como espiritual). ¿Es su tronco fuerte o débil? Medite sobre sus ramas. ¿Se ha extendido usted hacia direcciones diferentes, hacia arriba y hacia afuera, para beneficiarse de las fuentes de energía que hay por encima del suelo? Por último, ¿dónde están sus hojas, su habilidad por absorber las fuerzas que dan la vida, que le nutren y mantienen por completo?

El árbol es un símbolo arquetípico de la vida. Sus raíces están sujetas al mundo material, mientras que su tronco forma una unión entre la tierra y el cielo, el reino espiritual del sol. Al igual que un árbol, los seres humanos habitamos dos mundos, el material y el espiritual. Medite sobre esto.

Punto de equilibrio

Se trata de un ejercicio que ayuda a conseguir un equilibrio en la vida, sea cual sea el nivel apropiado.

Meditación

Véase a sí mismo de pie al lado de un balancín. Súbase a un extremo y quédese ahí. Sienta cómo su peso le mantiene firme en el suelo. Lentamente, empiece a caminar a lo largo del balancín hacia el otro extremo. Cuando se acerque al centro, prepárese porque el punto de equilibrio se modificará, ya que el extremo que ha dejado empezará a elevarse en el aire y el otro extremo descenderá. Trabaje gradualmente su camino hacia el centro y cuando alcance este punto deténgase, manteniendo en equilibrio todo el sistema. Sienta cómo es estar en este punto de equilibrio, y cómo necesita realizar pequeños movimientos constantes y pequeños ajustes para mantenerlo. Entonces muévase hacia el otro extremo del balancín. Avance muy lentamente para que le sea posible controlar su movimiento según se va elevando el extremo que ha dejado y va descendiendo el extremo hacia el que camina. Por último, alcance el extremo y descienda del balancín.

Medite ahora sobre el punto de equilibrio de su propia vida. ¿Dónde está? ¿Puede mantener un punto de equilibrio o su vida va de forma descontrolada de un extremo a otro? Medite sobre lo que necesita para controlar estos movimientos. Permita que le lleguen pensamientos, sentimientos e imágenes que describan esto y que le ayuden a moverse hacia un punto de equilibrio controlado y dinámico.

Recuerde de su experiencia con el balancín que, incluso estando en el punto de equilibrio, necesita realizar algunos esfuerzos para mantenerlo.

Luna

Las imágenes astrológicas pueden ser utilizadas para explorar las diferentes partes de su personalidad.

Vaya al jardín interior que ha creado en otro ejercicio. Dedique cierto tiempo a construir una imagen del jardín en su mente y a sentirse realmente allí.

Meditación

Explore su jardín particular y disfrute de lo que encuentra en él. Respire en el pacífico ambiente. Invite a su personaje guía al jardín para estar con él durante un tiempo con el fin de conocerse mutuamente.

Hable con su guía. ¿Es responsable de usted? ¿De qué humor está? Fíjese en lo que lleva puesto y, si puede, en cualquier cosa que le llame la atención de su cuerpo o de su cara. Haga que la realidad de su guía sea más fuerte cada vez en su meditación. Tómese su tiempo.

La luna es un símbolo del inconsciente. Está asociado a sentimientos e intuiciones, y es la parte de usted que se adapta a las circunstancias cambiantes. También está asociada a las madres y es una fuerza creativa que da vida a nuevas cosas, nutriéndolas y protegiéndolas. Imagine que pide a su guía que le lleve la luna, encarnada en una persona. Imagine que la luna se materializa en su jardín y aparece ante usted como una persona.

Acepte cualquier imagen, pensamiento o sentimiento que surjan en usted y permita gradualmente que la luna se haga realidad, como persona, en su meditación. ¿Se trata de una mujer o de un hombre? ¿Qué ropa lleva? ¿Qué edad tiene? ¿Cómo se comporta con usted y con el guía? Dedique cierto tiempo a crear esta imagen. No se preocupe si la imagen no es clara. Deje que con el tiempo se refuerce.

Cuando pueda, pregunte a la luna qué puede hacer en su vida real para ayudarla. Pregúntele qué puede hacer ella, a cambio, por usted. Tómese su tiempo. Pídale que le conceda un don, algo que usted pueda utilizar en su vida. Puede preguntar al guía por el significado del don y cómo debe utilizarlo.

Al cabo de un momento, dé las gracias a la luna y a su guía por haber estado con usted y permita que se marchen. Deje que sus imágenes se desvanezcan de su mente para quedarse solo en el jardín. Permanezca un tiempo meditando tranquilamente, pensando, por ejemplo, en todo lo que ha experimentado con este ejercicio de meditación.

Tranquilidad, calma, paz y silencio

Este es un agradable ejercicio de meditación que podrá utilizar para relajarse y penetrar en un profundo estado meditativo.

Meditación

Concéntrese en su respiración. Respire un poco más profundamente de lo que lo hace normalmente. Sitúe la palabra *tranquilidad* en su mente. Sienta el espíritu de la tranquilidad en su interior y en el espacio que le rodea. Después, deje que la palabra se desvanezca y que sólo quede el espíritu de la tranquilidad.

Sienta la tranquilidad bajo cualquier ruido que pueda oír, subrayando cada inspiración. Únase gradualmente al espíritu de la tranquilidad hasta convertirse en un solo ser.

Puede llevar la meditación más lejos. Sitúe la palabra *calma* en su mente. Experimente la calma en su interior y en el espacio que le rodea. De forma gradual, libere la palabra, para que sólo el espíritu de la calma permanezca; la calma invadiendo cada pensamiento y cada inspiración.

Lleve la meditación todavía más lejos. Sitúe la palabra *paz* en su mente. Medite sobre la paz. Deje que toque su corazón, su mente y su respiración. Sienta cómo la paz invade su cuerpo y está en el espacio que le rodea. Después, libere la palabra para que sólo permanezca el espíritu de la paz.

Permanezca en silencio.

Fuerza interior

Se trata de un ejercicio de meditación que sirve para desarrollar la fuerza y la confianza interior.

Meditación

Tome conciencia del punto de equilibrio en su cuerpo, su centro de gravedad. Sitúe este punto en su abdomen. Siéntese, completamente en silencio, y sea consciente de todas las fuerzas de gravedad que se mantienen en equilibrio. Conviértase en una roca, inamovible y fuerte. Imagine esta roca e imagine que contiene la fuente de toda su fuerza física, mental y espiritual. Tome conciencia de las cualidades de su roca. Medite sobre la experiencia interior de la fuerza que usted tiene y que ahora está simbolizada por esta roca. Medite sobre la fuerza interior.

Siempre que lo desee podrá apelar a esta imagen de la roca para recordar su propia fuerza o cuando necesite apoyo. En la tranquilidad de la meditación podrá encontrar su fuerza interior.

Meditación, dimensión espiritual y crecimiento interior

S i hay una parte difícil en la meditación, esta no tiene nada que ver con ser capaz de concentrarse o de sentarse relajado durante un tiempo, y tampoco tiene mucho que ver, realmente, con ser capaz de meditar, puesto que la meditación es una experiencia natural abierta a todo aquel que la intenta.

Dificultades de la conciencia incrementada

Cuando empezamos a meditar, asumimos como base que uno de los objetivos que perseguimos es un aumento de la conciencia de uno mismo. Desde el inicio de esta obra definimos la meditación como una «conciencia relajada».

La dificultad puede estribar en el momento en que empecemos a reflexionar sobre el significado de la palabra *conciencia* y sus consecuencias.

La conciencia incrementada a través de la meditación puede dar como resultado una mejor comprensión de nuestras relaciones, tanto internas como externas.

Puede hacer que desarrollemos más comprensión de la que necesitamos para crecer, cambiar o desarrollar de forma plena nuestras capacidades potenciales. Pero también puede hacer que entendamos mejor nuestras relaciones con otras personas y podamos animarlas a funcionar de forma más positiva. Así pues, ¿dónde está la dificultad?

Hay dos áreas que debemos tener en cuenta. La primera es que una conciencia expandida conlleva la posibilidad de descubrir que algo en nosotros no es bueno, no es sano o no está funcionando como debiera, y que estamos adoptando una actitud inadecuada en alguna faceta de nosotros o de nuestra vida. Todo parecía ser correcto antes, pero la meditación puede hacernos conscientes de que bajo la superficie no es tan correcto. Es el equivalente psicológico de darnos cuenta de que algo no va bien en nuestro cuerpo aunque nos sintamos perfectamente.

Por supuesto, puede que este no sea su caso, pero está bien tener en cuenta la posibilidad porque podría comenzar a descubrir cosas sobre usted y sobre su vida que no le gusten. ¿Acaso habría sido mejor no saberlas y seguir adelante con una ignorancia ciega? ¿No es mejor saber cuáles son los problemas para que sea posible solucionarlos?

A menudo, el tipo de problemas que la meditación pone de manifiesto son problemas mayores relacionados con las relaciones, el trabajo, el dinero, la salud y el sentido de la vida.

Y puesto que, en general, solamente usted los puede solucionar, la meditación será también un medio para ayudarle a hacerlo porque le permitirá tomar las decisiones correctas.

El elemento espiritual

Hemos visto cómo la meditación nos puede ayudar a mejorar el lado material de nuestra vida, pero ¿qué pasa con la otra dimensión de la realidad humana, nuestra conciencia de que no somos únicamente seres materiales sino que vivimos también en una realidad espiritual? Esta es la segunda fuente de dificultades de la práctica de la meditación y la conciencia incrementada que esta aporta. No importa lo sano que uno esté o lo rico que sea, ya que una vida completa y feliz implica otras muchas necesidades.

Estoy utilizando la palabra *espiritual* en términos generales, no en el contexto de las creencias y las prácticas religiosas, aun cuando estas pueden estar implicadas. Lo que aquí se entiende por *espiritual* es una conciencia de que en la vida hay mucho más de lo que alcanza la vista. Todos tenemos una gran capacidad potencial para la creatividad, para la expresión, para darnos cuenta de que tanto nuestro yo interior como el mundo exterior son infinitos en sus dimensiones y en sus interminables posibilidades. Cuando empiece a meditar estará abordando este mundo *secreto* interior, que se abrirá a usted.

Así pues, ¿dónde residen las dificultades? Puede que, cuando medite, se le haga evidente que su visión del mundo y de sí mismo está cambiando, que la realidad está modificándose y sus creencias sobre lo que es real y lo que no lo es están alterándose. Quizá necesite volver a construirlas.

Para aquellos que agradecen los cambios que tal vez sean necesarios para provocar esta experiencia, esto no supone un problema. Puede ser un momento excitante para descubrir nuevas dimensiones de la realidad. Pero para aquellos que están muy arraigados a su visión del mundo y para los que cualquier cambio podría constituir un proceso doloroso, surgirán dificultades.

Transformación

La conciencia espiritual no es lo mismo que la conciencia religiosa, y obviamente no sugiere que uno tenga que experimentar una especie de conversión religiosa. No obstante, implica la conciencia de cuestiones profundas de la vida y la meditación nos hace fijarnos precisamente en ellas. ¿Cuál es nuestra función en la vida? ¿De dónde venimos? ¿Adónde vamos? ¿Cómo deberíamos actuar para cumplir nuestra razón de vivir? Hay algunas grandes preguntas en las que la meditación puede centrarse.

Todas las religiones y las filosofías tienen respuestas para estas preguntas pero, para los que practicamos la meditación, las respuestas se encuentran dentro de nosotros mismos, no fuera. Una de las razones por las que la alquimia tiene tanto que ofrecer en este área es que está basada en la experiencia individual.

Uno de los principios principales de esta filosofía era que una persona debería experimentar e intentar comprender cómo cambian las cosas para que una cosa pueda convertirse en otra. Abordaban experimentos difíciles de cambio interno y externo. El proceso parecía ser natural porque podía ocurrir en cualquier parte de la naturaleza. Es la semilla transformada en planta que produce la flor que a su vez se marchita y produce la semilla, y así sucesivamente. El proceso de la transformación interna solía ser descrito simbólicamente por los alquimistas mediante los elementos de la naturaleza, como los campos de trigo, las flores y los árboles.

Crecimiento y descomposición, tanto interna como externa, van acompañados de una transformación y un cambio continuos. La meditación establece las condiciones adecuadas para que esto ocurra y al final no quede nada como antes. Al iniciarse en meditación, que es un proceso de alquimia interior, está invitando a las fuerzas del cambio y la transformación. Una vez que el proceso comienza, se convierte en algo natural. Usted no puede hacer que ocurra, simplemente ocurre, dadas unas condiciones apropiadas. Los alquimistas eran conscientes de esto y decían que sus experimentos funcionaban «si así lo quería Dios».

Lo mismo ocurre con la meditación. Más que cultivar el jardín, es necesario trabajarlo mucho, mantenerlo limpio, asegurarse de que la tierra es fértil y de que las plantas disponen de luz y de agua. Tanto en verano como en invierno, lo importante es que las flores no crecerán porque usted así lo desee, sino que, simplemente, crecerán. Esta es la experiencia de meditación de crecimiento y cambio interiores. Cuando crea las condiciones adecuadas, el crecimiento y el cambio ocurren de forma natural. Puede no ocurrir cuando lo desea y a la velocidad que espera que ocurra, pero ocurrirá con toda seguridad. Cree las condiciones, cuide constantemente de su jardín y tenga paciencia. Si su «dios» lo desea, cuando lo desee, el jardín florecerá.

Curación

Al principio de la experiencia de la meditación no hay ningún sentido de división entre los opuestos. Después, la conciencia crece hasta que se muestran claramente separados lo material y lo espiritual, el cuerpo y la mente. En realidad no están separados sino que forman parte de un todo completo y, de nuevo, el proceso alquímico nos muestra esta realidad llevándonos hasta la siguiente fase. Los opuestos aparecen con una nueva relación entre ellos.

Este es el proceso de la curación, de completar el todo. La meditación puede provocar curación. Si está preparado para enfrentarse a las dificultades, para descubrir dónde es necesario un cambio; si puede permitir que el proceso vaya hasta la fase en la que está claro que hay partes de usted que están divididas y que incluso son antagonistas, entonces podrá seguir adelante hasta la fase curativa.

Hay una diferencia significativa en este contexto entre *cura* y *curación*. *Cura* significa estar mejor, mientras que *curación* quiere decir volver a estar completo. El final del proceso es estar completo, como se estaba al principio pero con una gran diferencia: se ha alcanzado la conciencia de lo que ha ocurrido. Al principio había poca conciencia.

Sin embargo, la curación no es un simple proceso pasivo sin resultado final. La alquimia nos muestra que algo nuevo ha nacido de esta curación, lo cual sugiere que la meditación nos lleva de una falta de conciencia a una separación psicológica y, por último, a una unión interna y de ahí a un renacimiento.

La curación lleva al nacimiento de algo nuevo, lo cual significa que podemos extender la definición de curación hasta la creación de la totalidad y el renacimiento. En términos psicológicos, podría suponer el retorno de las energías, el tiempo tras una depresión, cuando el deseo de crear y de seguir adelante retorna con renovado vigor. Hay tantos niveles en los que esta experiencia puede tener lugar que me es imposible ser más concreto. La alquimia representaba este renacimiento llevado a cabo por el proceso de curación como la piedra filosofal y la creación del oro. A veces incluso recurría a la imaginería religiosa y lo describía en términos del Cristo resucitado. Hay una sensación de algo poderoso que renace dentro de nosotros. Es un proceso de «fusión nuclear» espiritual. Cuando las fuerzas opuestas se combinan, se libera la energía.

Muchas de nuestras enfermedades modernas son resultado del malestar material y el espiritual. Para efectuar una cura es necesario tratarlos como dos problemas diferentes, pero en última instancia deberían volver a ser uno para que la cura y la curación tengan lugar.

Hay mucho material en la vertiente curativa de la meditación que puede ser explorado. Si le interesa, debería llegar más lejos en su exploración, buscando en qué coinciden la meditación y otros campos asociados a la curación. Como descubrieron los alquimistas, no somos perfectos, pero es posible moverse hacia una dirección creativa, positiva, para mejorar nuestros asuntos tanto como podamos. La meditación puede ser un paso en esta dirección.

Meditación en la Nueva Era

Al adoptar el principio de que vivimos en un mundo holístico y que dentro de nosotros el consciente y el inconsciente, la mente y el cuerpo, aparecen divididos, pero que estos opuestos pueden ser un todo ya curado, estamos afirmando que se nos abren nuevas posibilidades para el futuro.

A pesar de los avances de la ciencia y la tecnología, existe una posibilidad de descubrir que el destino humano va mucho más allá del avance material. Podemos descubrir mucho más sobre la manera en que funciona la conciencia general y la conciencia de uno mismo si damos un paso adelante en nuestra evolución.

Estas grandes ideas tienen mucho en común con las expresadas por la filosofía de la Nueva Era. Es interesante analizarlas con detenimiento porque tienen relevancia directa en la práctica y la experiencia de la meditación.

Lo que hace que la Nueva Era sea tan difícil de definir es que está siendo creada a partir de las experiencias individuales de mucha gente. No existe una estructura ni una jerarquía; se trata sencillamente de la experiencia común de mucha gente que está descubriendo interiormente que hay una dimensión espiritual real en la vida, que esta dimensión es parte de una visión holística del mundo que necesita curación y que el ser humano no ha alcanzado en absoluto el límite de sus posibilidades. La meditación es una de las vías principales para descubrir la realidad de estas ideas.

La Nueva Era tiene unas bases astrológicas. Estamos entrando en una de las grandes eras astrológicas, la de Acuario. La conciencia de este hecho se ve estimulada por algo muy significativo: el paso al nuevo milenio, una época de gran agitación y cambio predichos por profetas de ahora y del pasado.

Así pues, emprendiendo el camino de la meditación tal vez esté participando en un gran experimento y una gran experiencia que llevan a esta Nueva Era. Sin ser miembro de ninguna congregación y sin suscribirse a ninguna filosofía en particular, sino simplemente dirigiendo la atención hacia su interior, quizá esté ayudando a de-sencadenar la creación de algo nuevo en la raza humana. Cuanta más gente participe, más poderosamente efectivo será el resultado.

Este es otro punto de vista de la dimensión espiritual que conviene tener en cuenta. No importa si estas ideas no le atraen, pero debería ser consciente de que quizá necesite reconsiderarlas. Que se produzca un paso adelante en la evolución humana puede parecerle un hecho demasiado alejado de los primeros intentos de alcanzar la relajación y algún alivio para el estrés, pero todo forma parte de un mismo paquete que abrirá cuando se embarque en la práctica de la meditación.

No es muy difícil obtener beneficios físicos de la meditación, pero desde un punto de vista espiritual la meditación no finaliza cuando uno vuelve a abrir los ojos. Es una experiencia que continúa en las actividades de la vida diaria. No piense nunca que la meditación sólo ocurre durante los pocos minutos que se sienta cómodamente y durante los cuales centra toda su atención en su interior.

Puede haber una experiencia particular entre el momento de tener los «ojos cerrados» y el de tener los «ojos abiertos», pero es mucho más que eso. Si la meditación es completa, sus efectos penetran en todas las experiencias de la vida.

La Nueva Era no es un movimiento ni tampoco una filosofía particular, sino una experiencia interior que revela el fondo común en el que tienen sus raíces la naturaleza humana y la conciencia. La meditación nos puede revelar esto.

Un código ético

Con esta nueva conciencia espiritual puede resultar útil contar con algunas líneas directrices para saber de qué manera actuar como meditador, tanto entre la gente como en uno mismo.

La meditación tiene mucho que ver con las actitudes vitales, y estas a su vez pueden empujarnos hacia una visión positiva de la vida, ayudándonos con toda seguridad a crear las condiciones internas adecuadas para que podamos florecer. Presentamos a continuación una relación de algunas sugerencias que usted podría adoptar o adaptar a sus necesidades.

Vivir en el momento actual

Analice sus influencias pasadas y planifique cuidadosamente el futuro, pero asegúrese de que sus meditaciones no están orientadas hacia ningún objetivo. Quédese en la experiencia del momento presente. Sea quien es ahora.

Tenga paciencia

No ocurrirá nada significativo hasta que esté preparado para que ocurra.

Desde el punto de vista de los mundos interiores, usted no puede hacer nada para que las cosas ocurran antes o después, sino que ocurrirán por su cuenta en el momento preciso. Lo que sí puede hacer es favorecer las condiciones oportunas.

Acepte lo que se le ofrece

La aceptación tiene diferentes facetas. Cuando usted está meditando, acepte lo que experimenta tanto si es lo que quiere como si no. No juzgue, no censure ni descarte. Además, si no le ocurre nada también debe aceptarlo. Debe aceptarlo todo de la misma manera.

Sea honesto

Si es usted deshonesto con alguna otra persona, estará siendo deshonesto consigo mismo. Intente desarrollar la capacidad de ser directo y sincero, aun cuando esto signifique aceptar partes de usted mismo de las que no está satisfecho y que no le gustan. Ponga las cosas malas en el crisol alquímico de su mente mientras medita, así como pone las buenas.

Sea creativo

Dispone de la capacidad potencial para crear y para destruir. Decida desarrollar la faceta creativa de su personalidad. Cuando se implique en un proceso creativo, el universo vendrá a usted. Hacer el esfuerzo resulta muy eficaz.

Haga algún esfuerzo

La meditación exige cierto esfuerzo. Puede parecer un proceso pasivo desde el exterior, pero la realidad es otra.

Requiere que usted persista y no se desanime con los resultados.

Sea amable consigo mismo

Suele ser difícil determinar cuándo estamos siendo auto-
críticos o incluso autodestructivos, pero debería marcar-
se deliberadamente un objetivo que consista en invertir
este proceso.

Si es usted amable consigo mismo automáticamente
será más amable con los demás y estos, a su vez, responderán mejor.

Trate bien su cuerpo

La meditación revela que en la vida todo tiene un valor,
todo es precioso. Cuide en especial esas cosas que guardan relación con usted.

Puesto que sabe lo bien que su cuerpo responde al tra-
tamiento correcto, recuerde que su mente también requiere la dieta correcta. Me estoy refiriendo a la necesidad de proporcionarle descanso y estímulos en las
medidas más adecuadas para usted.

Deje a un lado sus creencias

No tenga miedo de experimentar, de dejar a un lado sus
ideas y creencias y probar con otras nuevas para ver si
hay algo que le sirva. Debe explorar más allá de los límites de su sistema de creencias habitual.

Esté preparado para cambiar

La meditación puede aportar cambios pequeños o grandes. Debe estar preparado para cualquier eventualidad. Para hacer más fácil este proceso, reduzca cada vez más sus ideas; cuando llegue el cambio, la transición será menos dolorosa para usted.

Meditación desde el punto de vista espiritual

Cuando meditamos estamos participando en algo que se extiende más allá de los límites de nuestro propio yo consciente. Estamos creando una relación con el inconsciente, el cual no tiene límites. El inconsciente no es una «cosa» situada en algún lugar en el tiempo y el espacio. Acercándonos a este reino a través de la meditación estamos poniéndonos en contacto con la fuente de la vida. El inconsciente es una experiencia compartida que va más allá de los límites de nuestro cuerpo físico para englobar todo lo que existe. Se extiende también por el pasado y por el futuro, poniéndonos en contacto con nuestra historia y nuestro devenir. Las posibilidades son infinitas.

La conciencia de que hay más dimensiones en la vida que el espacio y el tiempo, de que no vivimos sólo en un mundo físico, de que este sólo es una faceta más, llega cuando nos disponemos a explorar las dimensiones del espacio interior. Al hacerlo, se vuelve necesario evaluar de nuevo lo que queremos decir con «espiritual» y las consecuencias que este significado puede tener. Las religiones modernas, y en particular la cristiana, ya no tienen fuerza para mucha gente porque han perdido contacto con la realidad en su dimensión interior.

La realidad espiritual solía ser terreno del sacerdote, el intermediario entre dios y la humanidad. Ahora podemos ser nuestros propios sacerdotes, incluso nuestros propios psicoanalistas, y entrar en contacto directo con las verdades espirituales acerca del mundo que reside dentro de nosotros y que se nos muestran a través de las realidades del inconsciente. Se trata de una búsqueda para volver a percibir la diferencia entre realidad e ilusión. Qué es real y qué no lo es son dos de las grandes preguntas que podemos empezar a resolver mediante la meditación y, una vez hecho esto, podemos empezar a construir una imagen del mundo que no esté dictada únicamente por el materialismo tecnológico.

Un nuevo modelo del universo empieza a surgir, construido sobre el punto de vista y la experiencia interiores; en consecuencia, también está produciéndose una reconstrucción del ser humano con el cuerpo, la mente y el espíritu. ¿Cuáles son las realidades del cuerpo, la mente y el espíritu? Y una vez más nos preguntaremos qué es real y qué no lo es. Pero no soy yo quien debe responder a esto. Cada cual debe descubrirlo utilizando su imaginación y su visualización creativa como medio de percepción para ver dentro del inconsciente.

Estamos entrando en una nueva era, pero esta búsqueda es muy antigua. De hecho, resulta reconfortante aprender de las tradiciones del pasado, en particular de las que tienen una naturaleza contemplativa, que han transitado antes por este sendero. Podemos aprender de lo antiguo, pero debemos situarnos en el punto de vista del mundo moderno. El materialismo no es ni malo ni bueno, de la misma manera que la naturaleza no es ni mala ni buena. Simplemente es. No podemos escapar del mundo material por medio de la meditación, debemos englobarlo e incluirlo en ella. Debe ser experimentado junto con las realidades de la dimensión espiritual. No se trata de elegir, de creer en unas ideas o en otras, sino de juntar las partes para formar un todo.

No hay nada de lo que ocurre afuera que no tenga una consecuencia en los mundos interiores. El hecho de que la comunicación y el conocimiento se hayan convertido en algo libremente disponible a través de los nuevos medios de transmisión de la información supone que, a un nivel interior, una vía de comunicación todavía más significativa está ahora disponible para nosotros. Conocer las diferentes posibilidades hace que la meditación se convierta en una perspectiva excitante. Hay otra autopista de la información esperando ser descubierta. Todo lo que se necesita es cerrar los ojos y utilizar la imaginación.

Seguir adelante

P ara practicar la forma de meditación que he presentado no es preciso tener un maestro, sólo hay que ir avanzando y probando. Espero que este libro le proporcione la inspiración necesaria para hacerlo. A algunas personas les gusta meditar solas, pero muchas otras consideran que meditar en grupo, con más gente, hace la experiencia mucho más intensa; un grupo de meditación puede darle apoyo y estímulo, y descubrirá que tiene la oportunidad de hablar de sus experiencias con personas que piensa más o menos igual que usted.

Trabajar en grupo

Puesto que yo no pude encontrar un grupo de meditación adecuado cerca de donde vivo y trabajo, decidí crearlo por mi cuenta. No hay razón alguna por la que usted no pueda hacer lo mismo. Todo lo que necesita es uno o dos amigos entusiastas, una pequeña organización para acordar fechas y horas, y un lugar que esté disponible. Quizá necesite poner un anuncio, pero verá cómo la transmisión de boca en boca es suficiente para crear un grupo de meditación pequeño (¡o incluso grande!).

El formato que utilizo en mi grupo es una combinación de meditaciones guiadas, lecturas breves, alguna conversación y algún tiempo de meditación en silencio. Nos vemos con regularidad y a la misma hora cada mes desde hace algunos años. Cuando decida usted el lugar para reunirse, asegúrese de que la sala es tranquila y de que no serán molestados. Además, es una buena idea añadir algo al ambiente, por ejemplo, quemar su incienso favorito, asegurarse de que la iluminación es la apropiada y, quizá, poner música ambiental y relajante al inicio de la sesión. Todo esto ayudará a que la gente se introduzca en el estado mental adecuado.

Trabajar con otra persona

Otra posibilidad es trabajar con otra persona, alguien con quien uno se sienta cómodo, dirigiendo por turnos la meditación guiada. Cuando meditamos con una segunda persona que conduce nuestra meditación, podemos describirle lo que vamos experimentando sin romper la continuidad de las imágenes que visualizamos.

Esta forma de meditar puede ofrecer una amplia gama de posibilidades. En primer lugar, proporciona una retroalimentación (*feedback*) con la persona que nos habla a través de la meditación, por lo que esta podrá ajustar, en consecuencia, lo que dice, haciendo preguntas y sugerencias. En segundo lugar, ofrece a la otra persona la posibilidad de unirse y empezar a meditar con alguien que ya lo está haciendo. Se pueden visualizar las mismas cosas y describirlas uno al otro, avanzando juntos por la meditación. Nada de esto es posible en un grupo.

Esta es una técnica efectiva que hace mucho más profunda la experiencia de la meditación. Además, ofrece un tema muy valioso de investigación para determinar los efectos de la retroalimentación en la meditación guiada.

Música y otros sonidos

He mencionado, en más de una ocasión a lo largo del libro, el método de grabar las meditaciones guiadas en una cinta de casete. Recuerde también que la música y los sonidos naturales pueden resultar útiles. Puede combinar los sonidos que le parecen más atractivos para acompañar su meditación guiada mezclando las cintas o poniendo dos cintas al mismo tiempo, una con la meditación y otra con la música o los sonidos naturales.

Retiros organizados

Antes de abandonar el tema de la práctica de la meditación con otras personas, mencionaré una posibilidad más: acudir a un retiro organizado. Para hacerlo, primero deberá ponerse en contacto con una organización de confianza que los organice.

Explorar otros campos

Además de ponerse en contacto con otras personas y trabajar con ellas cuando se medita, mi principal sugerencia para avanzar en el trabajo meditativo es explorar otros campos. Casi todo puede constituir un alimento para el pensamiento meditativo, pero algunas áreas en particular resultan más fructíferas. Ya hemos mencionado antes el método autógeno y la técnica Alexander. Otros sistemas incluyen terapias de conducta cognoscitivas (terapias psicológicas que emplean técnicas de pensamiento positivo) y programas neurolingüísticos, que ponen el énfasis en identificar los elementos negativos en nuestra actitud y reemplazarlos por otros más positivos, más útiles. Y, por supuesto, hay muchas formas complementarias de curación y otros métodos que exploran la relación entre la mente, el cuerpo y el espíritu. También he sugerido que las filosofías antiguas y las tradiciones religiosas pueden ser una fuente rica de inspiración y conocimiento.

Mantener abierta la mente

Sea cual sea la dirección que decida emprender, mantenga la mente abierta a lo que vaya encontrando y a la manera en que responderá a ello. Cuando se inicie en meditación, probablemente descubrirá que no es lo que esperaba; cuanto antes se dé cuenta de esto, antes descubrirá su camino.

Para que funcione, la meditación tiene que carecer completamente de prejuicios. Es bastante difícil evitar hacer juicios sobre otras personas, pero cuando se trata de nosotros mismos resulta aún más difícil, y es importante aceptar tal como son nuestros pensamientos, sentimientos e imágenes internas, abriéndonos a nuevas posibilidades. Sin esta apertura y esta falta de prejuicios estará caminando en círculos, experimentando siempre los mismos pensamientos y sentimientos.

Cuando logre aceptar las cosas como son, a través de la meditación, tendrán lugar el cambio y la transformación. En esto consiste precisamente la meditación. Si le atrae la idea de ampliar horizontes, si lo que pretende es explorar algo más que el camino ya trazado, sus meditaciones tendrán éxito. Abórdelas preparado para cualquier eventualidad. No asuma cosas y no tenga expectativas. De este modo, las fuerzas del universo, las energías del inconsciente, llegarán hasta usted. Al abrirse en esta dirección estará invocando todas las infinitas posibilidades que existen en la mente humana. Es un gran viaje, un gran trabajo, y espero que usted florezca con él.

Direcciones útiles

En España

Beauty's House
   Tapioles, 9, 08004 Barcelona. Tel.: 93 443 33 11

Centro budista Soto zen de Alicante
   César Elquezábal, 54, 1.º, 03004 Alicante

Centro zen Dojos del País Vasco
   Hurtado de Amezaga, 48008 Bilbao. Tel.: 94 410 35 92.
Web:http://webs.demasiado.com/zeneuskadi/page3.html

Centro zen Palma
   Sant Feliu, 6, 07012 Palma de Mallorca.
   Tel.: 971 72 89 81. Correo electrónico: centrozenpalma@lettera.net

Instituto Dharma
   Pg. Sant Nicolau, 4, 07760 Ciutadella (Menorca).
Tel.: 971 48 00 78. Correo electrónico: dharma@menorca.infotelecom.es

Karuna, Centro de yoga y sanación natural
   Doctor Fleming, 47, 25006 Lérida. Tel: 973 27 24 85

Via Apia
   Asura, 41, A, 28043 Madrid. Tel.: 91 388 91 00. Fax:
91 350 78 39. Correo electrónico: info@via-apia.com

Vipassana, escuela de meditación
   Tel/Fax: 97 623 16 61. Correo electrónico: samat-
va@arquired.es

En el Reino Unido

Beechwood Music (Música Beechwood)
   Littleton House, Littleton Road, Ashford, Middlesex
TW15 1UU

British Association for Autogenic Training (Asociación británica de enseñanza del método autógeno)
   18 Holtsmere Close, Garston, Watford, Herts, WD2
6NG

British Association for Behavioural and Cognitive Therapy
(Asociación británica de terapia cognitiva y behaviorista)
   PO Box 9, Accrington, ancs, BB5 2GD

The Buddhist Society (Sociedad budista)
   58 Eccleston Square, London SW1V 1PH. Teléfono:
+ 44 - 0171 834 5858

Confederation of Healing Organisations (Federación de or-
ganizaciones de curación)

Suite J, 2nd Floor, The Red-White House, 113 High Street, Berkhamsted, Herts, HP4 2BJ

New World Cassettes (Casestes Nuevo Mundo)
Freepost, Paradise Farm, Westhall, Halesworth, Sufforlk IP19

School of Meditation (Escuela de meditación)
25 Holland Park Avenue, London W11 4UH. Tel.: + 44 - 171 603 6116.

Society of Teachers of the Alexander Technique (Sociedad de profesores de la técnica Alexander)
20 London House, 266 Fulham Road, London, SW10 9EL

Transcendental Meditation (Meditación trascendental)
Roydon Hall, East Peckham, Nr Tonbridge, Kent, TN12 5NH

UK London Budhist Centre (Centro budista inglés de Londres)
51 Roman Road, London, E2 0HU

Wisdom Books (Libros Wisdom)
402 Hoe Street, Walthamstow, London E17 9AA. Tel.: + 44 - 0181 520 5588

En Estados Unidos

Raven Recordings (Discos Raven)
744 Broad Street, Room 1815, Newark, NJ 07102. Tel.: + 1 - 201 642 7942

Lecturas recomendadas

ANDERTON, Bill, *Meditation for Every Day*, Piatkus, 1995.

BANCROFT, Anne, *zen*, Ediciones del Prado, 1996.

BLOOM, William, *Meditation in a Changing World*, Gothic Image, 1987.

BROWN, Barbara, *New Mind, New Body*, Bantam, 1975.

BUTTON, John y William BLOOM, *The Seeker's Guide, a New Age Resource Book*, Thorsons, 1992.

CHETWYND, Tom, *Dictionary for Dreamers*, Thorsons, 1993.

FONTANA, David, *Elements of Meditation*, Element, 1991.

FONTANA, David, *The Mediator's Handbook*, Element, 1992.

FONTANA, David e Ingrid SLACK, *Enseñar a meditar a los niños*, Oniro, 1999.

GRAHAM, Helen, *Visualisation: An Introductory Guide*, Piatkus, 1996.

HARRISON, Eric, *Teach Yourself to Meditate*, Piatkus, 1994.

HERRIGEL, Eugen, *El camino del zen*, Paidós Ibérica, 1999.

HERRIGEL, Eugen, *zen in the Art of Archery*, Arkana, 1985.

HEWITT, James, *Relajación*, Pirámide, 1996.

HEWITT, James, *El gran libro de la relajación: manual de técnicas orientales y occidentales*, Medici, 1997.

KERMANI, Kai, *Relajación total: el entrenamiento autógeno*, Robinbook, 1993.

LABERGE, Stephen y Howard RHEINGOLD, *Exploring the World of Lucid Dreaming*, Ballantine, 1990.

LESHAN, Lawrence, *How to Meditate*, Crucible, 1989.

LEVINE, Stephen, *Meditaciones, exploraciones y otras sanaciones*, Los Libros del Comienzo, 1997.

MACBETH, Jessica, *Abre tu mente*, Robinbook, 1993.

MACBETH, Jessica, *Meditación creativa*, Robinbook, 1993.

OSHO, *La alquimia suprema: atma puja upanishad*, Gulaab, [s.a.].

PALMER, Martin, *Elements of Taoism*, Element, 1991.

PARKER, Derek y Julia, *The Secret World of Your Dreams*, Pitkus, 1996.

REPS, Paul y Nyogen SENZAKI, *101 historias zen*, Martínez Roca, 1998.

STEINBRECHER, Edwin G., *The Guide Meditation*, Aquarian Press, 1988.

SUZUKI, Shunryu, *zen Mind, Beginner's Mind*, Weatherhill, 1973.

TOULSON, Shirley, *The Celtic Alternative*, Shambhala, 1991.

TZU, Lao, *Tao Te Ching*, Gaia Ediciones, 2000.

UNDERHILL, Evelyn, *Mysticism*, Dutton, 1961.

VON FRANZ, Marie-Louise, *Sobre los sueños y la muerte: una interpretación junguiana*, Kairós, 1992.

VON FRANZ, Marie-Louise, *Alquimia*, Luciérnaga, 1999.

WHITEAKER, Stafford, *The Good Retreat Guide*, Rider, 1994.

Índice analítico

Impreso en España por
HUROPE, S. L.
Lima, 3 bis
08030 Barcelona

pàg - 43
"   58